KB103663

장애인e스포츠 이해

장애인 e스포츠의 이해

발 행 | 2024년 07월 23일
저 자 | 최경환
펴낸이 | 한건희
펴낸곳 | 주식회사 부크크
출판사등록 | 2014.07.15.(제2014-16호)
주 소 | 서울특별시 금천구 가산디지털1로 119 SK트윈타워 A동 305호
전 화 | 1670-8316
이메일 | info@bookk.co.kr

ISBN | 979-11-410-9681-6

www.bookk.co.kr

장애인 e스포츠의 이해

최경환 지음

CONTENT

제3장 장애인 e스포츠

제4장 장애인e스포츠 경기

제5장 장애인e스포츠 연구

1. 청각 장애인 지각하는 e스포츠 인식 및 차이분석

2. 빅데이터를 활용한 e스포츠 인식 비교 및 현황에 관한 연구 : COVID-19를 기준으로

3. 지체장애인의 스포츠 가상현실(VR)체험 전·후 스포츠 태도와 관여도에 대한 차이분석

머리말

e스포츠는 '전자(electronic)스포츠'로 불리며 가상 세계 속에서 디지털 장비를 이용해 승부를 겨루는 행동 또는 부대 행동들까지도 일컬어 e스포츠라 부르고 있다. 현재 e스포츠는 남녀노소를 가리지 않고 누구에게나 관심과 사랑을 받고 있으며, 새로운 스포츠로 인식되고 있다.

이러한 가운데 e스포츠 본질을 바탕으로 가장 필요로 한 대상이 바로 '장애인'이다. 스포츠 참여(이동, 시간 등)의 어려움과 기술 습득, 규칙 암기 등 어려움이 많아 점차 참여율이 떨어지는 현시점에서 장애인e스포츠는 그야말로 새로운 스포츠 환경이자 플랫폼이고 재미를 선사하는 매개체이다.

e스포츠의 가장 큰 장점은 가상 세계 안에서 비장애인과 동등한 경기를 할 수 있는 점이고, 두 번째는 이동의 제약이 최소화되었다는 것이다. 세 번째는 인터넷만 있다면 언제 어디서든지 참여할 수 있다는 것이다.

일반적인 스포츠는 정해진 장소와 정해진 시간 속에서 스포츠 활동에 참여해야 하고, 신체·정신적 능력을 통해서 승부를 겨루고 있다. 하지만 e스포츠는 기본 스포츠 틀에서 조금 벗어나 집에서도 상대방과 승부를 겨룰 수 있고, 언제 어디서든지 경기에 참여할 수 있다. 그리고 장애인이 비장애인을 이길 수 있는 유일한 스포츠 종목이다.

이러한 효과성을 바탕으로 정부 및 대한장애인체육회는 장애인들에게 e스포츠 참여를 권장하고 있지만 아직 e스포츠 인식에 대한 부재와 장애인 접근성에 대해 아직 모르고 있는 장애인들이 많다. 그리고 아직 교과과정 및 정규 프로그램, 참여 인원이 저조하여 산업시장 확산 및 저변 확대에 있어 어려움이 존재하고 있다.

하지만 본 저서를 통해 장애인들이 e스포츠에 참여해야 하는 이유와 효과성, 당위성을 설명하고자 하며, 장애인e스포츠 저변확대를 위한 기초적 자료를 제공하는데 최종목적이 있다. 마지막으로 본 저자가 2020년부터 국내 전문 학술지(KCI)에 게재하였던 연구들을 뒷받침하면서 학문적 체계 확립하는데 조금이나마 기여하고자 한다.

본 저서의 1장은 e스포츠에 대한 개념과 정의, 그리고 역사까지 이해하기 쉽게 저술하였다. e스포츠가 단순하게 게임에서 전환된 종목이 아니라 새롭게 탄생된 스포츠라는 것을 인지하였으면 좋겠다. 2장에서는 e스포츠가 왜 스포츠라는 단어가 붙었는지, 이러한 이유는 무엇인지를 스포츠 관점으로 설명하여 e스포츠가 새로운 스포츠로서 당위성을 확보할 수 있도록 저술하였다. 3장에서는 장애인e스포츠에 대한 소개를 하였는데 왜 장애인이 e스포츠에 참여해야 하는지, 참여함에 있어 이로운 점은 무엇인지, 마지막으로 관련 기관인 대한장애인e스포츠연맹에 대한 소개와 역사를 저술하였다. 4장은 실전과도 같은 경기 부분에 대해 저술하였다. 경기 규정과 등급 분류, 종목에 대해 상세하게 저술하였다. 마지막으로 5장에서는 장애인e스포츠 이론 및 근거에 대한 뒷받침과 학문적 이론을 구축하기 위해 본 저자가 국내 전문학술지에 게재된 내용을 바탕으로 추가하였다. 구체적인 근거는 다음과 같다.

최경환(2022). 청각 장애인이 지각하는 e스포츠 인식 및 차이분석. The Journal of the Convergence on Culture Technology (JCCT), 8:1, 245-252.
최경환(2022). 빅데이터를 활용한 e스포츠 인식 비교 및 현황에 관한 연구 : COVID-19를 기준으로. e스포츠연구: 한국e스포츠학회지, 4(1), 18-31.
최경환(2021). 지체장애인의 스포츠 가상현실(VR)체험 전·후 스포츠 태도와 관여도에 대한 차이 분석. 한국체육과학회지, 30(3), 667-679.

감사의 말

많은 저서를 출판하지는 않았지만, 항상 마지막에 감사해야 될 분들 떠올리면 수많은 분들이 스쳐 지나간다. 다 일일이 나열할 수 없어서 몇 분들만 소개하고자 한다.

첫 번째는 멘토이자 지도교수님이신 '이정학 교수님'이시다.

저자는 지금은 체육학을 하고 있지만, 어렸을 때부터 약 30년간 태권도 외길을 걸어왔고, 다른 스포츠에는 관심도 별로 없던 시절, 이정학 교수님께서 체육의 넓은 의미와 시야를 경험해 보라는 의미로 e스포츠를 추천을 해주셨고, 그 경험이 현재까지도 이어지고 있는 것이다. 그때 만약 저자에게 e스포츠에 대한 확장성과 체육의 의미를 다시 한번 되새겨주시지 않으셨으면 아마 아직도 태권도만 하고 있을 것 같다. 항상 이정학 교수님께 감사하면서 살고 있다.

두 번째는 소울메이트 '엄준필 교수님'이다.

나이로도 저자가 형이고, 학교도 후배여서 예전에는 그냥 이름을 부르고 그랬는데 이제는 인하대학교 스포츠과학과 교수 임용되어 교수님이라고 부르고 있다. 장애인e스포츠에 대한 연구 주제 제공자이기도 하다. 박사과정 시절 스포츠와 과학융합 연구를 진행보고 싶던 찰나 엄준필 교수님이 장애인 인적네트워크를 이용하여 e스포츠를 해보는 것을 추천하여 진행한 것이 현재까지 이어지고 있는 것이다. 다시 한번 감사의 말을 드린다.

세 번째는 '대한장애인e스포츠연맹 회장님과 전무님'이다.

언제, 몇 번이고 연맹을 방문하게 되면 집처럼 반겨준다. 오래 알고 지냈던 것처럼 편안하다. 그리고 이명호 회장님과 이재훈 전무이사님은 장애인e스포츠 발전에 진심인 분들이다. 사실 현재(2024년) 대한장애인e스포츠연맹은 대한장애인체육회 준가맹단체여서 국가예산 및 보조금이 지급되지 않는 단체이다. 하지만 장애인e스포츠 저변확대와 발전을 위해 자신들의 사비를 지출해가면서 교육사업과 대회를 유치하고 있다. 옆에서 보면 정말로 애를 많이 쓴다.
그리고 집필과정에서 본 저서가 세상으로 나올 수 있게, 그리고 장애인분들에게 정말 알리고 싶어 하는 것이 무엇인지 어떻게 하면 보다 쉽게 이해가 하는지 조언을 많이 해주셔서 책에 녹아든 부분이 많다. 따라서 이 자리를 빌어 정말로 수고가 많으시고, 노고에 감사드린다고 전해드리고 싶다.
네 번째는 '동신대학교 생활체육학과 교수님'들이다.
장애인e스포츠 저서가 세상으로 나올 수 있게 옆에서 응원도 많이 해주시고 학자로서의 견해도 말씀해 주셨다. 단순하게 장애인이 참여하는 e스포츠가 아니라 현시대 흐름과 미래지향적 흐름을 바탕으로 e스포츠가 가지고 있는 의미를 스포츠 철학, 사회, 여가학 관점에서 조언을 수시로 해주시고, e스포츠 참여함에 있어 사용되는 근육과 트레이닝 방법까지 상세하게 알려주셔서 집필하면서 저자도 한 단계 성장하는 과정을 거쳤다. 다시 한번 격려의 말씀도 아끼지 않으신 동신대학교 생활체육학과 교수(안민주, 정성필, 진교남, 최미성, 최용민)님들께 진심으로 감사의 말씀을 드린다.
다섯 번째는 '가족'이다.

책은 하루아침에 나올 수 없고, 수많은 시간과 열정이 소요된다. 장애인e스포츠 저서를 쓴다고 할 때 아내는 싫은 소리 한번 할 수 있었겠지만 오히려 저자의 꿈을 응원한다고 하였고, 하나뿐인 아들에게 말을 하니 아빠 파이팅을 외쳤다. 이때 개월 수가 27개월인데 말을 이해나 했는지 모르겠다. 육아에 도움이 되어야 하는데 집필에만 몰두하다 보니 조금 소홀해진 면이 없지 않아 아빠로서 가장으로써 미안한 마음이 크다. 항상 아내와 아들에게 감사하고 또 감사하다.

그리고 물심양면으로 키워주신 정준기 아버지, 김영순 어머님, 최은미, 최은희, 최은정 누나, 고영상 매형께도 끝으로 감사의 말을 드린다.

제 1 장

e스포츠의 이해

제1장 e스포츠의 이해

1. e스포츠란 무엇인가?

예전에는 생소하던 'e스포츠'라는 이름이 이제는 TV, SNS, YouTube 등 각종 매체에서 널리 불리고 있다. 현재는 e스포츠 구단도 존재하고, 전문 선수들에 대한 팬덤층도 존재하고, 다양한 오락프로그램에 서도 e스포츠를 취재하고 있어 이제 e스포츠가 점차 실생활에 스며들고 있다. 더불어 e스포츠 산업시장도 매년 성장하고 있는데 많은 기업은 MZ세대와 소통하기 위해 전문 스폰서십 활동을 펼치고 있어 e스포츠의 열기를 그야말로 대단하다.

이처럼 e스포츠는 다양한 분야에서 사용되고 있지만 아쉽게도 e스포츠에 대한 정의는 아직까지 확립이 되어 있지 않고 있으며, 이론적

체계를 구축하기 위한 과도기를 거쳐 가고 있다.
그럼 본 장의 주제인 도대체 e스포츠란 무엇인가?
e스포츠라는 영어와 한글 조합의 단어를 번역하자면 글자 그대로 '전자스포츠'가 되는데 그래서 e스포츠가 도대체 무엇인가?
e스포츠가 스포츠인가? 아니면 게임인가? 에 대한 궁금증도 아직 해소되지 않았고, 우리는 도대체 e스포츠를 어떠한 시각으로 바라봐야 하는지 답변을 명확하게 할 수 있는 사람은 그렇게 많지 않을 것이다.
이러한 이유는 바로 e스포츠 생태계 구조가 이렇게 형성이 되었기 때문이다<그림 1>.

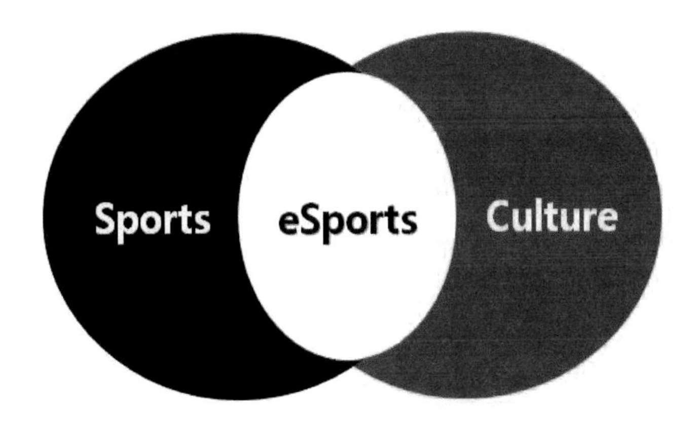

<그림 1>. e스포츠의 이해

보시는 바와 같이 e스포츠는 교집합 성격을 지니고 있다. 스포츠 성격을 지니고 있는 동시에 문화적인 성격을 지니고 있다. e스포츠

는 태초에 게임으로부터 파생되어 탄생된 경기이다. 게임은 과거 오랫동안 대중들에게 문화와 오락으로 자리매김하였기 때문에 이러한 성격을 e스포츠도 이어받게 되는 것이다.
그래서 아직까지도 많은 학자들은 e스포츠를 스포츠의 관점으로 바라봐야 하는지, 아니면 문화, 오락으로 봐야 하는지에 대한 논쟁을 끊임없이 진행하고 있다.
하지만 분명한 것은 e스포츠는 새로운 문화를 창조하였고, 스포츠 영역의 확장성에 포함되어 있다는 것이다. 그렇기 때문에 문화와 스포츠 가운데 고유의 e스포츠로 바라보는 것이 옳다. 따라서 e스포츠는 어떠한 국한된 기준을 가지고 바라보는 것보다 보다 포괄적인 시선으로 바라보는 것이 옳다. e스포츠는 어디에도 들어갈 수 있고, 무엇과도 융합할 수 있다.
그리고 마지막으로 많은 분들이 e스포츠라고 하면 e스포츠 전문 종목인 '리그 오브 레전드', '배틀그라운드', 'FC온라인' 등 특정 종목만 e스포츠로 인식하고 다른 종목은 무관심하거나 게임으로 인지하는 경향이 아직 존재하고 있다.
강력하게 말하고 싶은 것은 한 가지의 종목만이 e스포츠가 아니고 다양한 종목들과 스포츠 본질, 문화 등이 합쳐져서 e스포츠가 탄생되었다고 강조하고 싶다.

2. VR・AR도 e스포츠이다.

저자가 가장 안타깝게 생각하는 부분이기도 하다. 학술대회 및 강연, 발표의 자리가 있어 e스포츠를 설명하면 대다수의 인원이 특정 종목만을 이야기하고, 특정 선수만을 이야기한다. 물론 매스컴에서 보이고, 관심이 없다보면 모를 수도 있다.
하지만 e스포츠라는 이름안에 수백명의 선수가 활동하고 있고, 아마추어, 프로까지 포함하면 최소 500명이 넘을 것이다. 본 장에서 이야기 하고 싶은 것은 한국e스포츠협회 및 대한장애인e스포츠연맹이 바뀌어야 할 부분이기도 하며, 앞으로 지속가능하기 위해서는 품어야 할 종목이기도 하다. 바로 VR・AR스포츠이다.
VR・AR이라는 단어를 하루에도 몇 번씩 듣고 있다. 불과 10년전까지만 해도 가상현실, 증강현실이라는 말이 매우 과학적, 미래적으로 느껴졌지만 이제는 우리들 곁에 밀접하게 자리잡고 있다. 최근 메타버스도 대중들에게 매우 큰 인기를 끌고 있으며, 이제는 가상세계를 통해서 여행을 가고, 거래를 하고, 음악을 듣고 다양한 활동들을 하고 있다.
VR(Virtual Reality)이란 가상 현실을 뜻하는 단어이다.
VR스포츠 중에 가장 유명한 것이 스크린 골프와 스크린 야구이다. 문화체육관광부(2018) 발표에 따르면 국내 인구 중에 158만 명이 여가활동으로 골프에 참여하고 있는 것으로 나타났다(김용석, 2021. 08. 04). 골프 인구가 늘어나고 있는 가운데 2020년 코로나19(COVID-19)와 같은 사회적 변화로 인하여 사회적 거리두기는 강화가 되었고, 실내체육은 집합금지에 해당되어 많은 대중들이 스포츠에 참여를 하지 못하는 사태가 발생되었다.

하지만 야외 스포츠에 해당이 되는 골프는 스포츠 활동을 갈망하던 대중들에게 아주 좋은 호재로 다가서게 되었고, 코로나19 시대에 가장 호황을 맞이한 스포츠가 되었다. 이처럼 야외 스포츠인 골프가 엄청난 유행을 선도하게 되었고, 실내체육집합금지가 해제되면서 골프의 인기를 이어받은 종목이 바로 스크린 골프이다.

앞 부분에서 언급했듯이 e스포츠는 전자 스포츠이기도 하고 가상세계 속에서 신체적·정신적 능력을 활용하여 승부를 내는 경기의 총칭이라고 정의하였다. 스크린 골프 역시 가상현실 기술을 이용하여 승부를 겨루는 레저이자 스포츠 경기이다. 그렇기에 스크린 골프와 스크린 야구 역시 e스포츠가 추구하는 방향성과 일치하고 주체성이 같다.

스크린 골프는 골퍼의 신체적·정신적 능력을 활용하여 승부를 겨루고, 실제 필드가 아닌 과학적 기술인 VR기술을 통해 가상 세계에서 골프를 즐기고 있다. 이러한 것이 바로 e스포츠인 것이다.
2022년 위드 코로나19 시대에 골프 인구는 약 560만 명으로 추정되면서 2018년 기준 3배 이상 늘어났고, 스크린 골프 이용건수는 19년도 대비 약 9%가 상승된 것으로 나타났다(박순찬, 2022. 05. 19). 다음 <그림 2>는 스크린 골프가 e스포츠에 해당이 된다는 기사 내용이다.

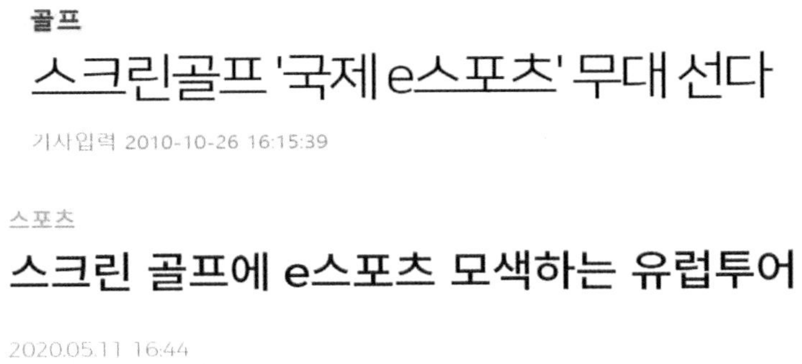

골프

스크린골프 '국제 e스포츠' 무대 선다

기사입력 2010-10-26 16:15:39

스포츠

스크린 골프에 e스포츠 모색하는 유럽투어

2020.05.11 16:44

<그림 2>. 스크린 골프와 e스포츠에 관한 기사 [자료= 스포츠조선 & 헤럴드 경제].

최근 2022 테일러메이드에서 주최한 스크린 골프 챌린지 대회에서는 예선에서 1만 명 이상이 참가하는 상황이 속출되었고(임재훈, 2022. 02. 28), DGB 금융기업에서 온라인올림픽(스크린골프, 카트라이더)을 개최해 소비자들에게 화제를 모으기도 하였다(정선우, 2022. 05. 13).

이뿐만 아니라 문화체육관광부는 VR스포츠를 적극 권장하기도 하는데, VR종목으로 축구, 농구, 핸드볼, 양궁, 볼링, 야구 종목이 채택되어 현재 많은 대중들이 즐기고 있다.

그리고 VR스포츠와 더불어 AR(Augmented Reality, 증강현실)스포츠도 소비자들에게 각광받고 있다.

가상세계는 현실과 동떨어져 있는 느낌이라면 AR은 현실을 바탕으로 그 위에 새로운 세계를 만들어 내는 것이다. 이해하기 쉽게 게임으로 설명하자면 VR은 메타버스와 같고 AR은 포켓몬스터고를 생각하면 쉽다. 자세한 내용은 < 그림 3>과 같다.

<그림 3>. 메타버스와 포켓몬고 [사진=서울시청, 나이언틱]

다시 AR스포츠로 돌아와서 현재 대표적인 AR 스포츠인 'HADO SPORTS'가 대중들에게 인기를 끌고 있다. 다음 <그림 4>은 HADO SPORTS의 대표 이미지이다.

HADO SPORTS는 선수들이 머리에 장착한 디스플레이와 손목의 센서를 통해 공격과 방어를 하는 신개념 e스포츠로서 증강현실 기술을 기반으로 많은 대중들에게 관심을 받고 있다.

<그림 4>. HADO SPORTS [사진=HADO SPORTS]

이처럼 'e스포츠'라는 단어는 리그 오브 레전드, 배틀그라운드 등 몇 개의 종목이 대표성을 가져서 사용될 수는 있지만, e스포츠 전체성으로 표현할 수는 없다.
VR스포츠와 AR스포츠 등 각 e스포츠가 가진 고유 특색이 강하기 때문에 앞으로 e스포츠의 단어가 세분화 되어 사용될 필요성이 있다.

그리고 e스포츠 확장성을 통하여 성장 가능성을 엳보았다. 본 저자는 e스포츠의 가능성은 무한대와 가깝다고 판단한다. e스포츠 종목과 다른 분야의 융합은 상상이상 일 것이고, 새로운 스포츠와 문화를 창조하여 트렌드를 주도할 것으로 판단된다.

골프와 VR스포츠의 융합, 닌텐도Wii와 테니스의 조합 등을 누가 감히 상상이나 했겠는가. 이러한 융합을 e스포츠를 통해서 해내고 있는 것이다. 더욱 놀라울 것은 앞으로 더욱 많은 융합이 생겨날 것이고 e스포츠를 통해 새로운 문화를 만들어 낼 것이다. 이제 어떠한 장르가 재탄생될지 매우 기대가 되고 있다.

3. e스포츠의 역사

1) e스포츠의 탄생

e스포츠의 탄생은 시대적 흐름에 따라 한순간에 갑자기 나타난 스포츠가 아니다. e스포츠는 태초에 게임(Game)에서부터 파생되었고, e스포츠의 역사를 이해하기 위해서는 오락문화와 게임을 이해해야 한다.

어쩌면 아직까지도 대중들은 e스포츠라는 단어보다 오락 또는 게임이라는 단어가 익숙할지도 모른다. 저자 역시 e스포츠를 접해 보기 전까지 e스포츠라는 단어보다 게임이라는 단어를 수시로 이야기 했던 시절이 있다.

오락이라는 문화는 연도를 특정 지어 거슬러 올라갈 수 없을 만큼 오래된 문화이지만, 컴퓨터를 이용한 오락이라는 문화는 1980년대 국내에 상륙하면서 이어지고 있었다. 그 이후 오락을 전문적으로 즐기기 위한 오락실이라는 장소가 각 동네마다 생기게 되었고, 1990년대에는 컴퓨터 기능향상과 인터넷 보급에 따라 PC게임, PC방이 출현하게 되었다.

오락실은 불건전한 이미지와 폭력성이 더해져 좋지 않은 이미지로 다가서는 대신 PC게임 및 PC방은 다양하게 즐길 수 있는 요소를 앞세워 남녀노소 가리지 않고 참여하고 있었다. 그중 블리자드(Blizzard)에서 출시한 스타크래프트(Star Craft)는 PC게임 이용자들에게 열풍적인 인기를 이끌었고, 급기야 스타크래프트 대회가

1999년에 탄생하게 되었다. 이것이 e스포츠 탄생의 서막을 알리는 신호탄이 되었다. 다음 <그림 5>는 1999년 스타리그 최초 중계 방송 사진이다.

<그림 5>. 최초의 스타리그 중계 방송. [사진=스포츠서울]

스타크래프트는 날이 갈수록 대중들에게 관심과 사랑을 받았고, 급기야 1999년에 스타크래프트 대회와 게임 관련 전문 방송국(온게임넷)이 개국하여 그 당시 게임의 인기를 증명해 주었다.

시간이 흘러 2004년에는 인기의 최고점을 찍게 되는데 가장 유명한 사건은 지금도 회자되며 불리고 있는 '광안리 대첩'이다. 원래 광안리 대첩이라는 명칭은 정식 명칭이 아니고 '2004 스카이 프로리그'가 정식 명칭이다. 명칭의 유래는 같은 날 부산 사직 야구장에서 프로야구 올스타전 열렸는데, 야구 관중은 1만 5천명 몰리는 반면, e스포츠 경기에는 3일간 10만 명(주최측 추정)의 관중이 집결하게 되어 e스포츠 위상을 보여주었다 하여 구전으로 전파되어 내려온 것이다. 다음 <그림 6>은 2004년 광안리 대첩의 사진이다.

<그림 6>. 2004년 광안리 대첩 [사진= 조이뉴스]

그 이후로도 스타크래프트의 인기는 지속되었지만, 2011년 '리그 오브 레전드' 게임이 출시되면서 자연스럽게 스타크래프트에서 리그 오브 레전드로 흥행 구도가 바뀌게 되었다.

그리고 2017년 4월 '2018 인도네이사 자카르타-팔렘방 아시안게임'에 e스포츠가 시범종목으로 채택되면서 국내뿐만 아니라 전 세계적으로 e스포츠의 존재를 당당하게 알릴 수 있었고, 꾸준히 대중들의 e스포츠 인지와 인식개선에 대해 발전해 나가고 있는 과정이다.

2) e스포츠 단어의 탄생

이제 e스포츠에 대한 이해와 장애인과 e스포츠에 대한 이해를 하였으니 e스포츠가 어떻게 탄생되었고, 어떠한 역사를 가지고 있는지, 마지막으로 e스포츠라는 단어는 어떻게 만들어졌는지 알아보고자 한다.

가장 먼저 e스포츠 단어의 탄생 비화를 언급하기 위해서는 과거 2000년으로 거슬러 올라가야 한다. 2000년 2월 당시 프로게임협회(현, 한국e스포츠협회)창립 행사에서 내빈으로 참석한 박지원 문화관광부 장관이 축사에서 최초로 e스포츠라는 단어를 언급하면서, 수많은 사람들이 e스포츠라는 단어를 사용하게 되었다.

사실 e스포츠의 역사를 그렇게 오래된 편이 아니다. 우리 역사속에서 오락이라는 문화는 년도를 헤아릴 수 없을 정도로 곁에 오랫동안 존재해 오던 문화이고, 게임이라는 문화 역시 1980년대 전자오락이 들어오면서 생겨난 문화이지만 e스포츠는 게임에서 파생되어 2000년대 탄생되었으니 당연히 다른 문화, 스포츠 종목보다 짧을 수 밖에 없는 것이다.

다음<그림 7>은 e스포츠 단어가 처음으로 사용된 신문 내용을 발췌하였다.

대한민국게임대전 게임대회·부대행사 2000년 12월 15일 금요일 전자신문 45

게임대회 일정표

'코리아 e스포츠 참피언쉽' 열전 돌입

프로게이머 '왕중왕' 가린다

종목 우승자에 문화관광부 장관상 수여

게이머에 대학특례 입학 기회도 제공

어떤 종목이 있나

<그림 7>. 최초의 e스포츠 단어사용 [자료출처: e박사와 e스포츠 같이 놀기]

짧은 역사를 지닌 e스포츠는 또 한 가지 아쉬운게 있는데 바로 단어 정립이 아직 되어 있지 않다는 것이다. 개인 또는 기관, 학자들마다 e스포츠 또는 이스포츠, E스포츠, E-스포츠, E-SPORT, eSports로 불리우고 있다. 과거 2015년에 e스포츠에 e를 대문자 E로 사용하자고 편찬에 등록하였으나 효력이 없어지고 각자 개인 성향과 학문적 근거를 바탕으로 사용하고 있는 중이다.

본 저서에서는 최초의 단어를 기준으로 사용하고자 한다. 해당 기사 내용은 <그림 8>과 같다.

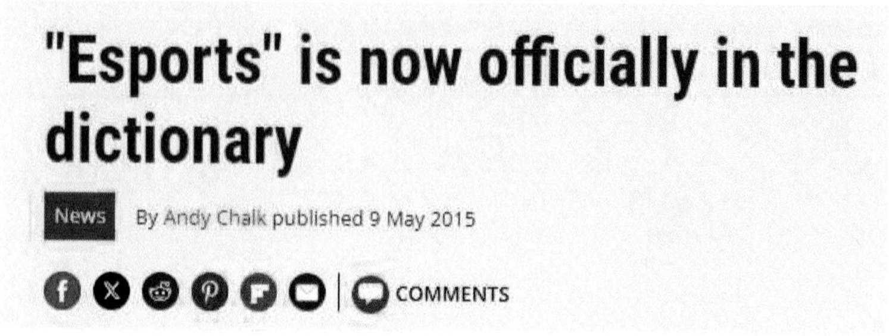

"Esports" is now officially in the dictionary

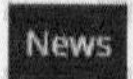

News By Andy Chalk published 9 May 2015

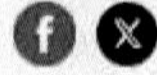

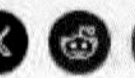

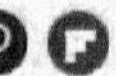

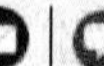

COMMENTS

<그림 8>. Esports 사전편찬 등록 기사. [자료출처: PCGAMER]

4. e스포츠 용어

e스포츠 참여자의 대부분이 MZ세대라 불리는 젊은 층에 속한다. 인구통계학적으로는 1981년 ~ 2010년생까지 불리고는 있지만 현실적으로 1990년 ~ 2000년 중반까지의 세대가 주 계층을 이루고 있는 세대이다.

젊은 세대들과 함축어 사용이 남발하던 시대에서 새롭게 탄생된 단어들이 바로 e스포츠 용어이다. 물론, 전부다 용어를 사용한다는 것은 아니다. 가벼운 마음으로 어떠한 단어가 존재하고 어떤 의미를 가지고 있는지 한번 알아보고자 한다. 자세한 내용은 < 표 1>, <그림 8, 9, 10, 11>과 같다.

표 1. e스포츠 용어

공통 용어	
GG	Good Game의 줄임말.
쿨타임	재사용 대기시간
캐리하다	아군을 이끈 플레이어 또는 플레이
리그 오브 레전드	
소환사	플레이어
라이너	라인을 가는 사람
탑(TOP)	맨 윗 라인
정글(JG)	라인이 아닌 정글 동선
미드(MID)	중간 라인

원딜(AD)	맨 아래 라인
서폿(SUP)	원딜 보호 역할
CC기	상대방을 움직이기 어렵게 하는 스킬
CS	미니언, 정글 몹을 잡아먹은 횟수
부쉬	풀숲
티어	플레이어 등급
언랭	30렙 이하 유저 및 라이트 유저
승급전	LP가 100이면 다음 티어로 올라갈 수 있는 관문
승급	승급전에 이겨서 티어가 올라간 경우
강등	한 단계 떨어지는 경우
MMR	e스포츠 실력
듀오	게임을 같이 하는 것
맵리	미니맵을 지켜보는 것
와드	시야를 밝혀주는 도구
AD	물리 데미지
AP	마법 데미지
공속	공격 속도
이속	이동 속도
탱커	데미지를 맞아주고 아군 딜러를 보호하는 역할
딜러	데미지는 넣은 역할
서포터	아군 원딜을 보호하는 역할
누커	딜러는 암살하는 역할
궁	6렙/11렙/16렙에 배우는 스킬
솔킬	혼자 킬한 경우
어시	도와준 경우
스펠	소환사 주문
스노우볼	사소한 차이로 결과를 바꾼 경우
딜교	딜교환

라인 관리	라인을 밀거나 당기면서 관리하는 것
맞라인전	적과 똑같은 라인전에 서는 것
적폐	사기인 챔프
너프	챔프 성능을 낮추는 것
버브	챔프 선능을 높이는 것
피지컬	플레이어 스킬 사용 능력
뇌지컬	플레이어 운영법이나 판단력
롤린	롤을 이제 막 시작한 유저
원챔	한 가지 챔프만 계속하는 유저

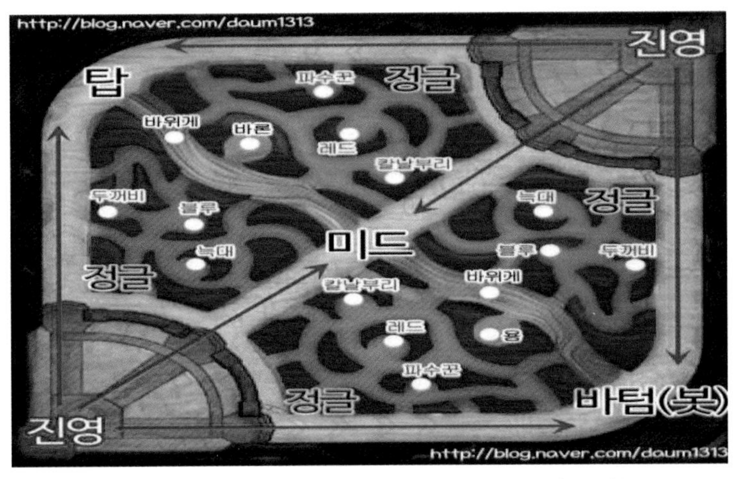

그림 8. 리그 오브 레전드 지도 [사진=갱보기]

배틀그라운드	
치킨	100명이 참가하는 경기에서 끝까지 살아남아 1등 했을 때 나오는 승리 메세지
베린이	초보 게이머

고인물	배그를 잘하는 게이머
뚝배기	방탄헬멧
갑빠	방탄조끼
감자	수류탄
삼토바이	3륜 오토바이
강남·강북	에란갤 맵에서 강을 기준으로 북쪽, 남쪽지역
사플	사운드 플레이의 약자
파밍	적과 싸우기 위해 장비를 찾는 행동
인간파밍	시체의 장비를 가져다 쓰는 행동
간디	비폭력주의 게이머
여포	적을 찾아다니면 싸움하는 게이머
부동산	자기장위치를 예측해 미리 좋은 자리 선점
몽골인	남들보다 특별히 적을 잘 찾는 게이머
양각	양쪽에서 공격받는 상황

그림 9. 배틀그라운드 지도 [사진=정이놀이터]

FC온라인	
공모	공격모드
일모	일반모드
피챔	피파 챔피언
스부	스킬부스트
스탯	능력치
크리	크리티컬
중미	중앙 미드필더
수미	수비형 미드필더
볼란치	수비형 미드필더

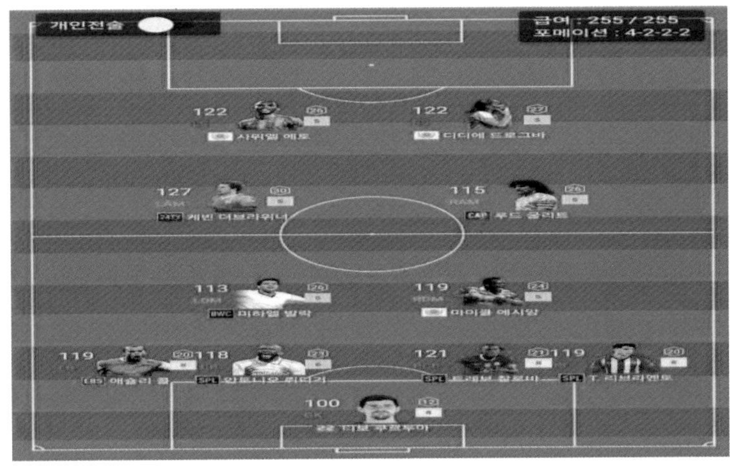

그림 10. FC온라인 포지션 [사진=인벤]

발로란트	
사이트	스파이크를 설치할 수 있는 장소

롱	진입로
메인	사이트로 진입하는 가장 큰 입구
미드	맵의 중앙지역과 진입로
베이스/스폰	공격 / 수비 팀의 시작 지점
씨티	수비팀 진영 스폰 지점 부근
에이스	혼자서 적 5명을 모두 처치한 경우
무결점	아군이 모두 생존한 상태
홀딩	특정 지역을 벗어나지 않고 지키는 행위
베이팅	팀원을 미끼로 사용하는 전략

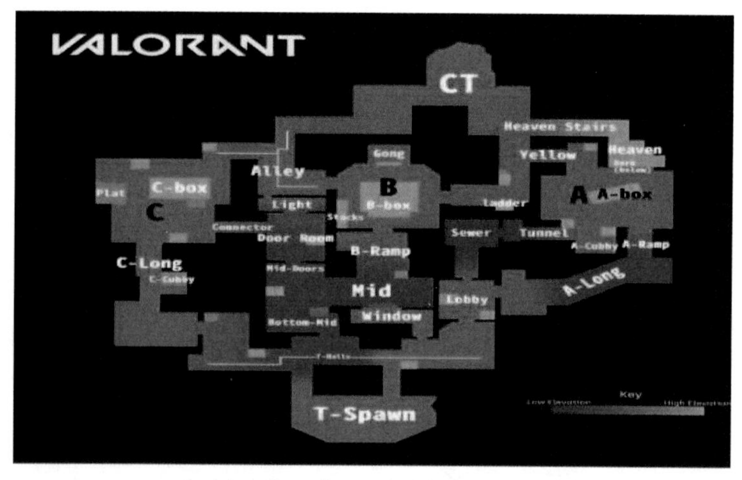

그림 11. 발로란트 맵 [사진=발로란트]

카트라이더 드리프트	
펙방	퍼펙트 방
탐택	타임어택

강종	강제종료
넥플	넥슨 플레이
비	비밀번호
맵돌	맵을 돌아가면서 하는 행위
듀부	듀얼 부스터
숏	약간 게이지를 채우는 기술
풀	쉬프트를 길게 눌러 카트바디 방향을 바꾸는 기술
순부	순간 부스터
변부	변신 부스터
게충	게이지 충전량
인빠	인코스에 바나나를 까는 것
자싸	자석+싸이렌
부자	부스터+자석
구름빠	구름+바나나
황실	황금실드
황미	황금 미사일

5. e스포츠 전용 경기장

본 장에서는 사실 장애인e스포츠 전용 경기장만을 소개해야 되는 것이 맞으나 현재 대한민국에서 장애인e스포츠 전용 경기장이라고 명시되어 있는 것은 안산의 장애인e스포츠 전용 경기장이 유일하다.

하지만 장애 유무와 관계없이 e스포츠만을 위한 경기장이 현재 (2024년 기준) 3곳이나 운영중에 있어 소개하고자 한다.

2019년 부산광역시를 시작으로 2020년 광주, 대전에 이스포츠 전용 경기장이 개관하여 현재까지 운영중에 있다. 그리고 최근 경상남도 진주에서는 전국에서 4번째로 경기장이 문을 열었다. 전국에 위치한 이스포츠 경기장의 모습은 <그림 12>와 같다.

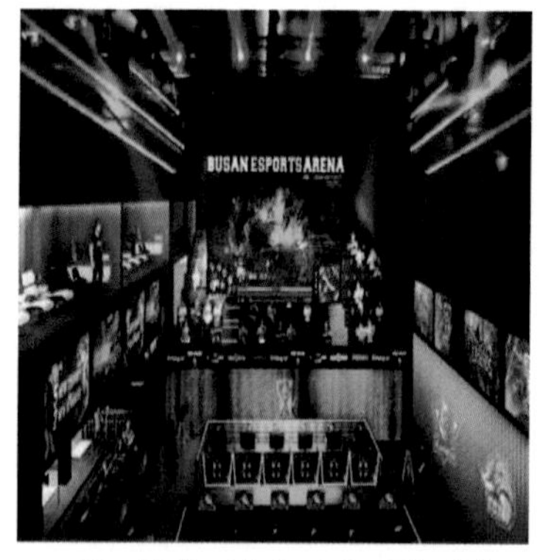

① 부산 이스포츠 경기장

② 광주 이스포츠 경기장

③ 대전 이스포츠 경기장

④ 경남 이스포츠 경기장

<그림 12>. 전국 이스포츠 경기장

1) **부산 이스포츠 경기장** : 전국에서 가장 먼저 e스포츠 경기장이 건설된 도시는 부산광역시이다. 부산광역시는 대한민국 게임 및 e스포츠의 성지답게 전국에서 가장 활발한 e스포츠 도시이다. 정식 명칭은 '부산 이스포츠경기장'이며, 약칭으로는 브레나(Busan Arena)로 불리고 있다.

부산 이스포츠 경기장은 문화체육관광부 30억 원, 부산광역시 30억 원씩 총 60억 원이 투입되어 마련된 국내 최초 e스포츠 전용 경기장이다. 그리고 2020년 11월에 개관하여 현재까지 다양한 이벤트 및 리그(철권, 발로란트 한·일전, e스포츠 토크쇼, 아마추어 대회 등)를 개최하여 관람객들을 유도하고 있다.

그리고 부산 이스포츠 경기장은 다른 지역에 비해 관중석이 작은 것이 아쉽지만 교통 및 접근이 매우 용이하다는 장점을 지니고 있다. 부산의 중심인 서면에 위치하고 있어 노출 효과가 매우 큰 편에 속한다. 또한, 경기장의 최초의 타이틀과 외국에서 접근성이 좋아 국제적 경기를 자주 개최하고 있다.
주 경기장 관중석은 292석이며, 주 경기장을 포함한 블루(Blue) 스페이스(64석), 옐로(Yellow) 스페이스(가변형 80석)가 있다.

2) **광주 이스포츠 경기장** : 전국에서 두 번째로 건설된 곳은 전라남도 광주광역시이다. 호남권에서 최초의 e스포츠 경기장이며, 부산 이스포츠경기장과 다르게 조선대학교 해오름관에 위치하고 있다.
이에 조선대학교 측은 이스포츠경기장을 10년간 무상 임대하겠다고 밝혀 e스포츠 발전을 위한 포부를 비추었다. 그리고 광주 이스포츠경기장은 국비와 시비 각 30억 원 총 60억 원을 투입해 2020년 12월 20일 개관하였다.
주 경기장 관람석은 1,005석이며, 보조 경기장은 160석 내외로 국내 이스포츠 경기장 중 가장 큰 크기를 자랑하고 있다.

3) **대전 이스포츠 경기장** : 부산광역시, 광주광역시 이후 국내에 3번째로 개관된 도시는 바로 대전광역시이다. 대전 이스포츠 경기장은 '드림 아레나(Dream Arena)' 명칭으로 불리우고 있으며, 2021년 9월에 개관하였다. 위치는 대전 엑스포 공원 내에 위치하고 있다.
하지만 여기서 대전 이스포츠경기장만의 특이한 점은 경기장 구조와 관람석 규모가 조절이 된다는 것이다. 관람석 규모는 500석이지만 대회 및 행사 규모에 따라 주 경기장을 더 넓히고 관람석을 줄일 수 있다. 그리고 관람객들의 몰입을 최대한 이끌기 위해 원형으로 경기장을 만들고 경사 좌석을 배치해 위에서 아래로 관람을 하는 형태를 띠고 있어 최대한 현장감을 극대화하였다.

한편, 대전 이스포츠경기장을 효과적으로 운영하기 위해 다양한 이벤트와 대회(아마추어, 대전시장배, 프로리그 등)를 개최 중에 있으며, 관람객들을 지속적으로 유도하고 있다.

4) **경남 이스포츠 경기장** : 국내 네 번째 이스포츠 경기장이 최근 개소되어 운영중에 있다. 위치는 경상국립대학교 100주년 기념관에 위치해 있으며, 총 80억 원(국비 30억, 도비 9억, 시비 41억 원)을 투자하여 마련하였다.
4개 층을 리모델링 하여 새롭게 구성하였으며, 1층 주 경기장은 500석, 보조 경기장 76석, 선수대기실, 회의실, 카페와 휴게공간을 조성하여 복합 문화 공간을 창출하였다.
최근 개소한 경기장인 만큼 시설이 매우 깨끗하고 다양한 행사와 이벤트를 개최하고 있어 지역민과 e스포츠 관람객의 방문을 유도하고 있다.

5) **장애인 이스포츠 경기장** : 앞서 설명한 바와 같이 부산광역시를 비롯한 대전, 광주, 진주, 성남시에는 e스포츠만을 위한 전용 경기장이 운영 및 건설 중에 있다. 그리고 보편적 접근과 통합스포츠를 지향하기 위해서 장애인 전용 경기장도 국내에 최초 운영되고 있

다.

바로 안산 와스타디움에 위치한 '장애인 전용 e스포츠 경기장'이다. 여기서 주목해야 될 점은 전국에서 최초이자 현재까지도 유일무이한 장애인e스포츠 전용 경기장이라는 것이다. 그리고 유일하게 운영기관이 안산시장애인체육회에서 주관하여 운영하고 있다. 장애인e스포츠 경기장은 2021년 11월에 처음 개장을 하였으며, 최근 2022년 리모델링을 통해서 보다 쾌적한 환경을 구축하고 있다. 보시는 바와 같이 장애인들에게 e스포츠를 알리기 위한 노력이 느껴지고, 다양한 종목들이 비치되어 있어 예약만 하면 쉽게 체험과 경기를 할 수 있다. 더불어, 장애인들의 편의를 위해서 휴식과 e스포츠, 그리고 문화를 동시에 즐길 수 있는 장소를 제공하고 있어 많은 장애인분들이 방문하고 있다.

하지만 다소 아쉬운 것은 앞서 언급한 것처럼 다른 경기장은 시비, 국비 예산이 몇 십억씩 투입이 된 반면, 장애인e스포츠경기장은 그에 비해 다소 소규모 투자가 되었다. 아쉬움으로 남는다. 앞으로 장애인e스포츠를 위한 전용경기장이 더욱 증가되어 언제 어디서나 쉽게 즐길 수 있기를 기대해 본다.

다음 <그림 13>은 장애인e스포츠 경기장의 내부 전경이다.

그림 13. 장애인 이스포츠 경기장

제 2 장

스포츠 관점의 e스포츠

제2장 스포츠 관점의 e스포츠

1. 스포츠의 정의

대한민국에서 스포츠를 모르는 사람은 거의 없을 것이다. 현재 우리는 하루에도 스포츠라는 단어를 쉽게 오르고 내리며, 전인교육을 바탕으로 평생 함께하는 종목이기 때문에 어린 아이부터 노인까지 전 연령대가 스포츠에 참여하고 있다.
우리가 이미 스포츠의 정의를 잘 알고 있지만 다시 한번 스포츠의 의미를 깨닫고 되새김 하는 의미에서 정의와 역사에 대해 짚고 넘어가고자 한다.
스포츠란 무엇인가?
개인 또는 단체가 신체와 정신적 능력을 활용하여 규칙에 따라 승부를 겨루는 행위를 일컫는다. 그리고 스포츠가 가진 의미로는 화합, 경쟁, 유희, 건강, 상호작용 등이 내포되어 있다.

2. 스포츠 관점으로 바라본 e스포츠

최근 언론이나 e스포츠 관련 기관들을 살펴보면 메이저 종목 또는 특정 인기 종목, 또는 특정 선수를 중심으로 e스포츠가 흘러가고 있다고 생각이 든다. 이것은 e스포츠에만 해당되는 것이 아니라 프로스포츠, 인기드라마, 영화 등에도 해당이 되고 있다. 어느 한 종목 또는 특정 선수가 급부상하면 대중들의 관심을 당연히 쏠릴 수 밖에 없고, 산업 흐름 및 관련 동향도 기울기 마련이다.
많은 분들이 e스포츠가 왜 스포츠이냐고 물어본다.
그럼 반대로 스포츠는 왜 스포츠인가?
스포츠는 어떠한 성질을 지니고 있기에 스포츠인가 되물어보고 싶다.
그냥 단순하게 신체활동을 통해서 승부를 겨루면 그것이 다 스포츠로 통일되는가?
결론적으로 그것은 아니다.
과거 스포츠의 정의로는 건강한 신체와 맑은 정신을 통해서 경쟁을 하고 즐거움을 동반한 불확실성의 스포츠를 추구하였다. 하지만 이제 스포츠의 의미는 시대적, 사회적, 개념적으로 변화하고 있는 것이다. 다음은 스포츠 성질에 대한 개념을 바탕으로 e스포츠가 왜 새로운 스포츠인지 알아보고자 한다.

1) 경쟁성

스포츠와 체육활동가 가장 큰 다른 점은 바로 경쟁이 있다는 것이다. 학습자 또는 참여자 혼자 신체적 활동과 경쟁이 없다는 사전적 의미로는 체육활동으로 바라봐야 하고, 정해진 규칙와 경쟁 속에서 상대와 승부를 겨룬다면 스포츠의 관점으로 바라보는 것이 바라직하다.

이러한 의미로 e스포츠는 닌텐도와 같이 신체적 활동을 통해서 경쟁을 하는 종목도 있고, 리그 오브 레전드와 같이 소근육을 사용하지만 정신력 능력을 활용하여 승부를 겨루는 점에서 경쟁성 역시 내포되어 있다고 판단된다.

예전 스포츠와 올림픽 정신으로 바라볼 때 감히 어디서 만나지도 않고 컴퓨터로 경쟁하는게 말이 되느냐고 많이 주장하셨는데, 이제 시대, 사회적 변화에 따라 스포츠를 바라보는 관점이 변화하였고, 가상 세계속에서 자신을 대변하는 캐릭터가 경쟁을 통해 승부를 겨루는 행위 역시 경쟁성으로 보고 있다.

따라서 e스포츠는 이미 태초부터 경쟁성을 가지고 있었으며, 앞으로 다양한 종목을 통해서 당위성을 더욱 확보해 나갈 것이다. 다음 < 그림 14>은 FC온라인에서 상대와 경쟁을 하는 장면이다.

<그림 14>. FC온라인 플레이 [사진=인벤]

2) 유희성

유희성은 곧 재미를 뜻한다. 스포츠를 흔히 각본 없는 드라마라 칭하기도 하고, 경기 도중 나타나는 재미는 예능, 드라마, 영화와 다른 재미를 선사하고 있어 스포츠만이 가지고 있는 성질 중 하나이다. 스포츠 경기가 재미가 없고 따분하고, 지루하면 누가 경기를 시청하겠는가?

하지만 유희성은 아마 e스포츠가 더욱 강하지 않을까 싶다. 예전부터 e스포츠가 게임이었던 시절부터 게임에 참여하는 이유의 1위가 바로 재미였다. 게임은 곧 참여자의 재미를 통해서 성장해 나갔고, e스포츠 역시 이러한 부분을 계승하여 현재까지도 e스포츠의 재미는 팬들을 유도하는 요소 중에 하나이다.

e스포츠가 재미있는 이유는 많겠지만 그중에서 몇 가지만 나열하도

록 하겠다.

e스포츠가 재미있는 이유는?

① 비현실적인 캐릭터를 통한 대리만족

② 경쟁을 통한 승리감

③ 행복감

④ 기술 습득을 하기 위한 노력과 성취감

⑤ 몰입할 수 있는 음향 및 그래픽 등을 언급할 수 있다.

3) 불확실성

e스포츠를 포함한 모든 경쟁은 불확실성을 가지고 있다. 그렇기 때문에 스포츠 분야가 인기를 끌고 있는 것이고, 관심을 가지고 있는 팀과 선수가 경쟁에서 승리하기 위해서 응원을 하고 있는 것이다.
만약 스포츠가 불확실성을 가지고 있지 않고 결말이 정해져 있는 경기에 관람을 한다면 독자는 재미를 가질 수 있겠는가? 라고 물어본다면 그래도 재미있을거라고 답한 독자는 없을 것으로 판단된다.
역시 e스포츠도 불확실성 요소들을 가득 내포하고 있다. 하지만 스포츠와 e스포츠가 다른 점은 시간에서 차이가 나타난다. 장애인e스포츠 종목을 바탕으로 살펴보면 가장 시간이 오래걸리는 경기는 스타크래프트이다. 하지만 사실상 경기장 잘 열리지 않고 그 다음으로 열리는 경기는 FC온라인이다.
실제 축구 경기시간은 전・후반 각 45분씩 90분이상이지만 FC온라인은 실제 7분 정도밖에 소요되지 않는다. 쉽게 순식간에 경기가 진행이 되기 때문에 몰입할 수 있는 환경를 구사하고 있는 것이다. 그리고 카트라이더 드리프트의 경우는 약 3분 내외 경기가 종료되기 때문에 누구도 승부를 예측할 수 없고, 한번의 실수는 곧 경쟁에서 패배로 이어지기 때문에 극도의 예민과 불확실성을 가지고 있다. 이러한 면에서 e스포츠 역시 불확실성을 내포하고 있다.

3. e스포츠의 영역과 한계

결론부터 말하자면 e스포츠의 한계와 영역을 무한대에 가깝다고 할 수 있다. 그 이유는 e스포츠는 아직 확립이 되어 있지 않은 상태이고, 어떤 분야, 어떤 종목과도 융합할 수 있다. 그렇기 때문에 e스포츠는 성장할 수 밖에 없고, 올바른 방향과 정책을 제시해야 된다. 최근 2023년 싱가포르에서 개최된 제1회 올림픽 e스포츠 위크가 성황리에 마무리 되었다. 그동안 국제올림픽위원회(IOC)는 e스포츠가 올림픽의 가치에 부합되지 않는다는 이유로 미선정되었으나 최근 코로나19와 같은 사회적, 시대적 변화에 따라 e스포츠 가능성을 열어두었고, 이에 따라 올림픽 e스포츠가 세상에 나타날 수 있었던 것이다.
반대로 생각해보면 누가 감히 올림픽에 e스포츠와 같은 분류가 도전을 할 수 있고, 아시안게임 정식종목으로 채택될 것이라고 상상이나 했겠는가? 2000년 초반 또는 2010년대만 하더라도 이런 소리를 했다가는 웃음만 샀을 것이다.
하지만 이제는 시대가 변했다.

본 저자는 스크린 골프를 매우 즐겨하는 골퍼 중에 한 사람이다. 하지만 스크린 골프 역시 e스포츠에 해당되고 있지만 아직 제도적, 협회 차원에서 융합되지 않아서 e스포츠에 내포되고 있지는 않지만 e스포츠이다. 이제 시대가 변해서 VR(Viture Reality) 환경은 이제 익숙하다.

즉, e스포츠는 이제 특정한 종목 또는 특정 환경이 아니라 실생활에서 흔히 접할 수 있고, 누구나 e스포츠 참여자가 될 수 있다는 것이다.

그리고 또 하나의 예로 e스포츠 전문 종목에서 가장 스폰서십활동을 많이 하는 그룹이 바로 '우리은행'이다. 많은 독자들이 아마 의문을 가질 수도 있고, LCK 팬이시라면 아마 고개를 끄덕일 수도 있을 것이다.

보통 프로 스포츠 및 스포츠 스폰서십은 제조, 판매 다양한 기업이 참여하지만 은행이 참여하는 경우는 극히 드물다. 하지만 e스포츠는 다르다.

e스포츠는 우리, 신한은행, 외식, 식품, 자동차 기업뿐만 아니라 블랙체인, 가상화폐 기업까지 협약, 융합되고 있어 e스포츠는 한계와 영역은 그야말로 무궁무진하다고 할 수 있다. 스포츠분야에서도 오랫동안 기업의 스폰서십은 재정확보 및 규모확산을 위해 필요한 마케팅 수단이였다. 하지만 e스포츠처럼 다양한 분야와 가상화폐, 블록체인까지 융합된 경우는 없는 사례이다. 그렇기 때문에 e스포츠의 확장성을 대중과 기업은 주목을 하는 것이고, 올바른 방향과 정책을 제시해야 되는 것이다.

꼭 신체활동만을 통한 스포츠가 아니라 정신적 능력을 활용한 움직임도 스포츠로 바라보고 있고, 가상세계를 통한 움직임도 스포츠로 바라보고 있다.

이러한 관점으로 바라볼 때 e스포츠와 마인드 스포츠가 새로운 스포츠 개념에 속하는 것이다.

또 여기서 한가지 짚고 넘어가는 것이 바로 신체활동이다. 즉, e스포츠에서 대근육과 소근육을 사용하는 것인가에 대한 문제이다. 본 저서 첫 장에 가장 먼저 언급한 것이 e스포츠의 정의다. 결론적으로 이야기하면 둘 다 사용한다. e스포츠는 롤, 배그, FC온라인 등 특정 종목만을 지칭하는 단어가 아니고 모든 종목을 총징하는 단어이다. 그리고 앞으로 한국e스포츠협회 및 대한장애인e스포츠연맹이 체육회 정가맹단체가 되면서 종목은 더욱 추가가 될 것으로 판단된다.

현재 장애인e스포츠 종목에서는 닌텐도 WII 스포츠(배드민턴, 테니스, 볼링) 종목을 채택하고 있으며, 시범 경기로 조정의 인도어 로잉이 채택되어 있다. 이러한 것만 보아도 장애인e스포츠가 얼마만큼 스포츠로서 당위성을 확보하고 있는지 알 수 있다.

대한민국을 넘어 전 세계가 코로나19로 인하여 모든 패턴이 바뀌었다. 이제 마트나 쇼핑몰에 가서 쇼핑을 하는 것보다 온라인에서 쇼핑을 하는 것이 더욱 빠르고, 여행을 가기 전에 메타버스를 통해서 실제 거리, 풍경, 또는 체험, 활동을 하고, 얼굴을 보고 하던 회의를 만나지 않고 온라인을 통해서 소통을 하는 방식으로 바뀌었다. 비대면을 처음 도입할 때는 시행착오와 불편사항들이 많았는데 이제는 오히려 만나는 것이 부담스러울 때도 있다. 채 4년이라는 시간이 흐르기도 전에 우리들의 문화와 습관, 패턴을 바꿔어 놓았다. 그러면서 스포츠에 대한 개념과 욕구, 참여방법 역시 바뀌게 되었고, 이러한 가운데 급성장한 것이 바로 e스포츠이다.

이러한 관점으로 보았을 때 e스포츠는 확장된 스포츠 영역에 포함되고 새로운 스포츠 플랫폼이라고 판단된다.

그리고 마지막으로 e스포츠가 지속가능한 e스포츠가 되기 위해서는 스포츠 개념확립과 제도권이 뒷받침되어야 할 것이다. 수많은 VR・AR스포츠를 포괄하고 보다 세분화된 e스포츠를 만들어야 될 필요성이 있다.

제 3 장

장애인e스포츠의 이해

제3장 장애인e스포츠 이해

1. 장애인과 e스포츠

앞장을 통해서 e스포츠에 대한 개념을 어느 정도 이해했다면 두 번째 장에서 e스포츠와 장애인과 어떠한 접점이 있고, 왜 장애인들이 e스포츠를 해야 되는지 알아보고자 한다.

2024년 기준으로 대한민국 장애 등록 인구는 약 264만 명에 이르고 있다. 전체 인구 중 5.5%에 해당하는 수치이다. 즉, 이 이야기를 바꿔서 하면 20명 중에 한 명은 장애인이라는 이야기고, 실생활에서 누구나 쉽게 장애인들을 접할 수 있다는 이야기다. 장애인은 특별한 존재가 아니라 우리와 함께 살아가는 사회구성원이다.

장애인복지법에는 15가지의 장애 유형과 정도를 구분하였으며, 장애인 정의는 신체적이나 정신적으로 제약을 받는 자를 뜻하고 있으며, 장애 유형은 신체적 장애와 정신적 장애로 구분하게 된다. 자세한 장애에 대한 내용은 뒷장에 이어서 하도록 하겠다.

이와 같이 장애인은 비장애인들과 다르게 참여 활동, 학습, 문화, 여가, 이동, 정보습득 등 모든 면에서 제약을 받고 있어 어려움을 가지고 있다. 그리고 최근 문화체육관광부(2023)에서 발표한 자료에 따르면 일주일에 30분 이상 체육활동을 하는 인구가 약 62.4%로 나타났으며, 장애인은 33.9%만 참여하는 것으로 나타났다. 수치로 환산하면 264만 명 중 약 89만의 인구만 스포츠 활동에 참여하고 약 175만 명의 장애인은 참여하고 있지 않다는 것을 의미하고 있다.

물론, 장애인들이 비장애인들보다 제약을 가지고 있어 참여하는 것이 쉽지는 않다. 이동하는 것도 힘들고, 기술 습득, 용품 구입, 활동 제약 등 어려움이 가지고 있는 것도 알고 있다. 하지만 장애인이 스포츠 활동에 참여하지 않는 이유 중에 하나는 바로 '재미'이다.

스포츠 활동을 함에 있어 재미를 느끼고, 자발적 참여를 유도하기까지는 오랜 시간이 필요하다. 비장애인들은 하루면 될지 몰라도 장애인은 몇 배의 시간이 필요하다. 이러한 과정속에서 재미를 느끼지 못하고 포기하는 수가 다반사이다.

정부는 스포츠 활동 참여를 적극 권장하고 있고, 관련 기관에서도 의무적으로 체육활동을 권장하고 있지만 사실상 쉽지 않은 것이 현실이다.

이러한 가운데 시대적 흐름과 사회적 변화속에서 탄생을 했고, 장애인을 스포츠 활동으로 유도할 수 있는 매개체가 바로 'e스포츠'인

것이다.
e스포츠의 장점을 앞서 언급하였듯이 일단 대면(집합)할 필요가 없다. 집에서 기기만 있으면 그곳이 바로 경기장이 될 수 있다. 즉, 이동할 에너지를 e스포츠에 쓸 수 있고, 시간 절약해서 보다 참여 시간을 증가시킬 수 있다.
그리고 규칙이 쉽다. 물론 컴퓨터 종목과 닌텐도 종목의 규칙차이는 존재하지만 대부분 정식종목의 규칙이 쉽고, 누구나 따라할 수 있을 정도이다. 그리고 현실에서는 실점 또는 실수할 수 있는 것도 기기가 보정을 해주고, 실제 경기처럼 좌우 또는 앞뒤로 이동을 하지 않아도 경기를 진행할 수 있다.
세 번째로 재미가 있다. 현재 출시되어 있는 기기 및 VR(Vurture Reality) 관련 기기는 현실 이상의 그래픽을 자랑하고 음향 역시 몰입감을 줄 수 있을 정도로 훌륭하다. 그리고 연습할 때 난이도를 조정할 수 있어 장애인들에게 경기 승리의 기쁨과 재미를 선사하여 자신감, 자존감, 회복탄력성, 자아존중감 등 긍정적인 영향을 미친다. 실제로 닌텐도 WII 스포츠 경기를 10분정도 하고 나면 실제로 경기를 한 것과 같은 효과를 나타내고, 재미를 선사한다.
이처럼 e스포츠는 가상 세계 스포츠를 통해서 신체적 움직임을 유도하고, 근력 강화를 시키고, 재미를 선사해서 긍정적인 심리태도를 형성할 수 있을 것이라 판단된다. 이러한 이유를 바탕으로 장애인에게 e스포츠는 매우 필요한 존재이고 변화하는 시대에 새로운 스포츠 플랫폼이다.

2. 대한장애인e스포츠연맹 역사

현재 전 세계적으로 e스포츠를 담당하고 있는 곳은 한국e스포츠협회, 국제e스포츠연맹이며, 마지막으로 대한장애인e스포츠연맹이다. 앞에 두 곳은 비장애인과 프로・아마추어 리그, 세계 경기를 담당하고 있다면 대한장애인e스포츠연맹은 장애인들을 대상으로 e스포츠 대회 개최, 교육 등을 하고 있다.

대한장애인e스포츠연맹은 현재 충남 천안시에 위치해 있으며, 2008년 회장 임윤태 씨를 필두로 창립되었지만, 현재는 2대 회장인 이명호 회장이 역임 중에 있다.

한국e스포츠협회는 2019년 대한체육회의 인정단체가 되었고, 2021년 이사회를 거쳐 준가맹단체로 되었지만, 대한장애인e스포츠연맹은 그보다 훨씬 빠르게 대한장애인체육회 준가맹단체의 자격을 부여받았다. 현재는 충남을 비롯한 17개 시·도 지부가 형성되어 활발하게 활동 중에 있다. 다음<표 2>는 대한장애인e스포츠연맹 연혁을 나열하였다.

대한e스포츠협회는 2000년 2월에 21세기프로게임협회로 창립되었다가 2003년에 대한e스포츠협회로 명칭변경을 하였지만 장애인e스포츠연맹은 대한e스포츠협회보다 약 8년뒤에 창립되었으니 시대적으로 다소 늦은 감이 없지 않다.

비록 창립은 비장애인 단체보다 늦었지만, e스포츠를 경기화시킨 것은 오히려 대한장애인e스포츠연맹이 훨씬 빠르다. 2008년에 창립되고 2009년에 대한장애인체육회 인정단체로 승인되었으며, 2009

년 5월부터 전국학생체육대회에 e스포츠 종목을 신설하였기 때문이다. 그리고 2024년 장애인e스포츠는 현재까지 전국학생체육대회에서 정식종목으로 자리매김하고 있으며, 창립 이후 큰 획을 그은 역사는 다음과 같이 나열하였다.

<표 2> 장애인 e스포츠 역사

구분	년도	역사
1	2008년 9월	대한장애인e스포츠연맹 창립
2	2009년 3월	대한장애인체육회 가맹(인정단체)
3	2009년 5월	제 3회 전국장애학생체육대회 e스포츠 정식종목
4	2011년 8월	장애인e스포츠 심판·지도자 1기 배출
5	2011년 9월	제 28회 전국장애인기능경기대회 e스포츠 경기 참가
6	2012년 4월	문화체육관광부 인가 국제장애인e스포츠연맹 승인
7	2019년 2월	장애인e스포츠 심포지움 개최
8	2021년 7월	제 1회 한·일전 e스포츠대회 개최
9	2023년 10월	제 1기 국가대표 선발

다음은 대한장애인e스포츠연맹 조직도이다<그림 15>. 그런데 특이한 점이 한 가지 있다. 비장애인과 아마추어, 프로리그를 담당하는

한국e스포츠협회는 심판, 지도사 양성과정을 실시하고 있다. 하지만 대한장애인e스포츠연맹은 심판, 지도사 자격과정을 민간자격증을 등록하여 발급하고 있다. 그래서 조직도에서 보이는 바와 같이 자격사업본부가 존재하고 있다. 즉, 한국e스포츠협회는 수료과정이고, 대한장애인e스포츠연맹은 자격 과정이 존재한다는 것이다. 이러한 것만 보아도 대한장애인e스포츠연맹은 장애인e스포츠 발전과 저변 확대에 얼만큼 노력을 하고 있는지 짐작 할 수 있다.

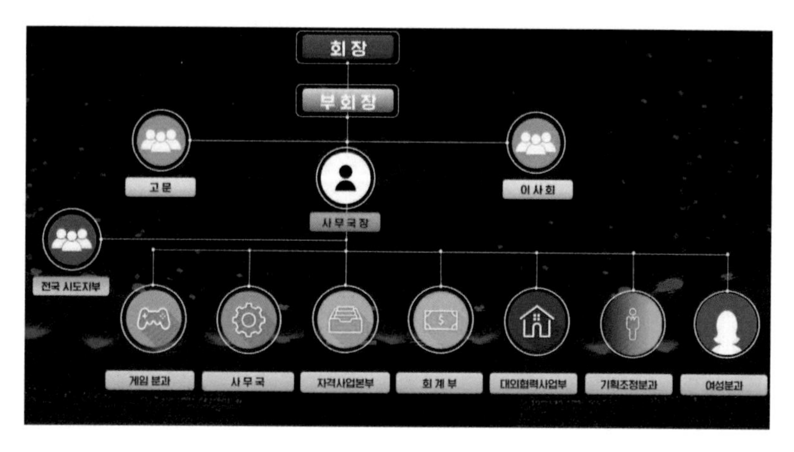

<그림 15>. 대한장애인e스포츠연맹 조직도

3. 장애인e스포츠의 효과

많은 분들이 궁금해 하실 수도 있다. 그러면 e스포츠를 통해서어떠한 영향을 미치는지를. 그토록 저자는 장애인e스포츠를 강력하게 어필을 하고 있는지.
이번 장은 장애인들이 e스포츠에 참여하면서 나타난 효과 및 영향들을 신체적, 정신적 효과로 분리하여 소개하고자 한다. 본 장을 바탕으로 효과성을 규명하여 정부 및 장애인, 장애인스포츠 관련 기관에서 보다 적극적으로 e스포츠 프로그램을 진행하였으면 한다.

1) 신체적 효과

(1) 근육 강화 효과

처음으로 e스포츠 효과에 대한 소개로 근육 강화의 효과를 말하고 싶다. 장애인e스포츠를 아는 분이라면 어느정도 예상과 이해를 하시겠지만, 장애인e스포츠 정식종목과 시범종목을 모르시는 분이라면 다소 생소할 수도 있다.
장애인e스포츠 정식종목에는 닌텐도WII(볼링, 테니스)가 포함되어 있다. 그리고 경기규정에서 테니스는 3판 2선승제를 하고 볼링은 점수제를 시행하고 있다. 즉, 간결하게 소근육을 사용하는 종목이 아니라 실제로 팔과 스텝, 몸의 움직임이 있어야 하는 종목이다. 실제 라켓을 쥐는 것처럼 센서를 쥐어야 하고 공이 오는 타이밍에 맞춰

휘둘러야 하며, 공을 보내고자 하는 방향과 상대방의 움직임을 파악해야 하기 때문에 좌우 움직임이 존재하고 있다.

그리고 시범종목으로 채택된 인도어 로잉과 휠체어 레이싱에 언급하는 순간 종목을 아는 분들이라면 고개를 끄덕일 것이다. 인도어 로잉은 장애인e스포츠 종목뿐만 아니라 일반 웨이트, 트레이닝, 조정 분야에서는 힘들기로 유명한 기구이며, 1시간 운동시 약 500kcal ~ 800kcal 소모되는 것으로 알려져 있다. 요가 1시간 운동이 약 200kcal에 비하면 얼마나 고강도 운동인지 알 수 있다.

휠체어 레이싱에 대한 칼로리 소비량은 아직 정확하게 나와있지는 않지만 비슷한 휠체어 농구 소비량과 비교하면 1시간에 약 534kcal로 나타나고 있어 휠체어 레이싱 또한 고강도 운동임을 알 수 있다.

이러한 측면에서 e스포츠를 통해서도 근육 강화 및 신체 기능 유지에 도움이 될 수 있다고 할 수 있다. 다음은 현재 국내전문학술지에 게재된 연구를 바탕으로 이론적 근거를 제시한다.

이병희, 정은정, 이수현(2012)는 가상현실 기반 치료가 뇌졸중 환자의 근 긴장도 및 보행능력에 긍정적인 영향을 미친다고 주장하였으며, 조현욱, 안미리(2022) 역시 자폐, 우울, 지적 장애인들을 대상으로 메타버스와 XR기술을 활용한 운동은 훈련 효과에 영향을 미친다고 주장하였다.

앞서 언급한 바와 같이 e스포츠는 단순하게 리그 오브 레전드, 발로란트 종목을 지칭하는 단어가 아니라 수 많은 종목들을 내포하는 단어이다. e스포츠 안에는 닌텐도와 VR스포츠 종목들이 내포되어 있고, 실제로 닌텐도 스포츠 테니스 경기를 3선 2승제로 플레이 하였을 때 실제 운동 효과와 동일하다. 이러한 관점으로 보았을 때 e스포츠 참여는 PC종목처럼 소근육을 사용한는 종목도 존재하지만 장애인들에게 필요한 신체 근육 강화 및 유지의 목적을 바탕으로 한 e스포츠 종목도 존재한다는 것을 알려주고 싶다.
그리고 아직 제도권적으로 융합이 되어 있지는 않지만 개인적으로 본 저자는 스크린 골프 역시 e스포츠 종목으로 내포되어야 한다고 주장하는 학자 중 한명이다. 아직 합쳐지는 과정속에서 풀어야 될 문제들이 많지만 스크린 골프 플레이하면 얼마나 많은 근육을 사용하는가?

(2) 유산소 운동 효과

조건희(2023. 12. 29)는 닌텐도 스위치 (스포츠, 우리집 트레이닝)를 이용하여 근력 & 유산소 운동을 할 수 있다고 발표하였다. 또한, 정기문, 류은진, 김현진(2016) 역시 가상현실 프로그램을 이용한 유산소 운동은 폐활량에 긍정적인 영향을 미친다고 발표하여 가상현실 운동프로그램이 유산소 운동 효과를 동반하는 것을 알 수 있었다.
사실 근력이 강화된다는 것은 유산소 운동과 동반되어야 가능한 일이다. 신체를 움직이는데 유산소 효과가 없다는 것은 사실상 쉽지 않기 때문이 근력 강화와 유산소 운동 효과는 일맥상통한다고 할 수 있다.
따라서 선행연구와 기사를 바탕으로 e스포츠 효과성을 인지하고 대체 운동프로그램을 구성해야 되겠다. e스포츠는 단순하게 게임과 놀이가 아니라 새로운 스포츠이며, 스포츠를 오랫동안 유지할 수 있는 플랫폼이기 때문에 정부 및 기관에서는 e스포츠를 적극 활용해야 할 것이다.

(3) 기술 향상 효과

조우련(2012)는 WII를 활용한 스포츠 활동이 지체 장애 학생의 보치아 던지기 수행능력을 향상 시켜주었다고 발표하였고, 정재식(2016) 역시 WII를 활용한 스포츠 활동이 정신지체 학생의 탁구 리시브 기술 향상에 도움이 된다고 주장하였다. 단순한 게임과 놀이, 그리고 신체 활동하는 것을 넘어서 실제 스포츠 기술 향상 능력까지 이어지는 것을 확인할 수 있었다.
이처럼 e스포츠를 통해 습득력, 이해력, 인지력을 향상시킬 수 있다는 것을 확인하였다면, 이를 통해 장애인들이 보다 발전하기 위해서 다양한 교육프로그램을 계획하여 e스포츠와 융합된 교육을 실시해야 할 것이다.

2) 정신적 효과

현재 장애인 스포츠 및 장애인e스포츠에 대한 연구에서 신체적 효과보다 더욱 많이 연구된 변인이 정신적인 요소들에 대해 연구가 많이 진행되었다.

정부 및 관련 기관에서는 장애인이 가지고 있는 부정적인 신념 전환과 자존감, 자신감 등을 회복하여 사회구성원으로 복귀하고, 보다 나은 삶을 영위하기 위해서 스포츠를 적극적으로 참여 권장하고 있다. 긍정적인 신념과 태도를 통해서 올바른 행동과 연계행동이 나올 수 있는 것이고, 점차 확산이 될 수 있는 것이다. 이러한 관점과 순서를 바탕으로 정신적인 변인에 대한 연구들이 많은 비중을 차지하고 있다. 본 장에서는 가상세계 스포츠 또는 장애인e스포츠를 통해 어떠한 효과가 규명되었는지 한번 알아보도록 하자.

(1) 태도

일반적인 태도란? 몸의 동작이나 몸을 가누는 모양새를 뜻하고 있으며, 정신적인 관점에서는 상황이나 물건, 서비스 등에 대한 마음가짐을 뜻하고 있다. 예를 들어 개인이 지각 또는 내제 되어 있는 e스포츠에 대한 정보를 바탕으로 긍정적인 또는 부정적인 마음가짐을 태도라 부르며, 긍정적으로 유지하기 위해서 노력을 하고 있는 것이다.

이현수(2024)는 e스포츠 참여자의 실제감(Presence) 경험이 스포츠 태도에 긍정적인 영향을 미쳤다고 발표하였고, 또한, 이정학, 최경환, 조혜경 역시 지체장애인이 스포츠 가상현실 체험이후 스포츠에 대한 태도가 긍정적으로 변하였다고 주장하여 e스포츠 체험을 통해서 e스포츠에 대한 태도 및 스포츠에 대한 태도가 긍정적으로 바뀐 것을 알 수 있다.

(2) 자기효능감

자기효능감이란 심리학 분야에서 사용되는 전문 용어로써, 자신이 어떤 일을 성공적으로 행할 수 있다고 믿는 믿음과 신념으로 정의되고 있다. 스포츠 분야에서도 자기효능감과 같은 신념에 대한 연구가 활발하게 진행되었다.
오현아(2010)은 가상현실을 통한 여가활동이 척수 장애인들에게 여가 만족도 및 자기 효능감에 긍정적인 영향을 미친다고 하였고, 최경환, 이상호(2022) 역시 장애인들이 e스포츠에 참여함에 있어 캐릭터 동일시를 지각할 때 자기효능감에 영향을 미친다고 발표하여 e스포츠 참여에 있어도 자기효능감에 긍정적인 영향을 미치는 것을 알 수 있었다.
대한민국 장애인들은 코로나19와 같은 사회적 변화와 장애인식으로 인하여 자존감 및 신념 체계가 많이 낮아져 있는 상태이다(이원무, 2021. 08. 11). 그동안 정부 및 관련 기관들은 장애이들의 자존감, 자아존중감과 같은 신념체계를 긍정적으로 변환하기 위해서 다양한 노력들을 많이 하였다. 복지 차원에서 지원, 주거 지원, 일자리 지원,

스포츠 정규 프로그램 등 다양한 지원을 지금까지도 지속적으로 이어지고 있다.

하지만 장애특성상 이동, 행동에 불편함이 있고, 곱지 않은 사회적 시선으로 인하여 장애인들의 신념은 마냥 높아질 수 많은 없던 것이다. 그리고 경쟁에 있어서 장애인의 경쟁상대는 장애인이다. 장애인과 비장애인의 경쟁은 일반적으로 성립조차 되지 않으며, 생각조차 하지 않는다.

하지만 e스포츠의 이야기는 다르다.

e스포츠의 장점 중 하나가 장애인과 비장애인이 가상세계 속에서 동등한 경기를 할 수 있다는 것고, 유아가 성인을 이길 수 있는 경기가 바로 e스포츠이다.

(3) 기타 요인

윤대원, 김현우(2022)는 장애인들을 대상으로 e스포츠 관람동기에 따라 지각된 가치 및 행복감에 영향을 미친다고 주장하였고, 최명진(2010)은 정신지체 장애 학생이 e스포츠 참여함에 있어 학생의 자신감 및 사회성 발달에 영향을 미친다고 하였다.

더불어 이정학, 최경환, 조혜경(2021)은 스포츠 가상현실을 체험한 척수 장애인의 실제감이 몰입 및 스포츠 관여도에 변화를 줄 수 있다고 하였고, 하창완(2019) 가상현실 기반의 체육수업이 자폐성 장애 학생의 기초체력 및 주의집중력에 긍정적인 영향을 미친다고 주장하여 가상현실 스포츠 수업을 널리 보급해야 한다고 하였다.

이외에도 다양한 분야와 다양한 대상들로 하여금 연구가 진행되었으며, 긍정적인 영향을 나타내는 연구가 상당수 존재하고 있다.

제4장

장애인e스포츠 경기

제4장 장애인e스포츠 경기

1. 장애인 e스포츠 종목

앞장에서 장애인 e스포츠를 이해하였으면, 본 장에서는 그럼 무엇이 e스포츠이고, 무엇이 게임이냐? 라고 의문을 가질 수도 있다. 그러면 컴퓨터를 통해서 승부를 내는 것이 다 e스포츠이냐? 관련 규정은 무엇이 있고, 어떠한 근거는 무엇이 있는지 알아보고자 한다.
먼저 이야기를 해주고 싶은 것이 바로 장애인e스포츠연맹은 대한장애인체육회 산하단체이다. 2024년 기준 준가맹단체로 인정되어 있고, 장애인체육회 승인을 통해서 장애인e스포츠 종목을 선정하게 되어 있다. 결론적으로는 모든 가상세계 스포츠를 e스포츠로 규정하고 싶지만 아직까지 현실적으로 제도권이 뒷받침되거나 포용할 수 없다는 뜻이다. 그렇기 때문에 본 저서와 장애인e스포츠에 대한 관심이 필요한 것이다.
예를 들어서 현재 카드라이더:드리프트는 장애인 e스포츠 정식종목으로 규정하고 있다. 하지만 비슷한 닌텐도의 마리오카트는 게임으로 구분되어 있다. 역시 FC온라인(구: 피파온라인4)도 장애인e스포츠종목으로 채택되어 있지만 비슷한 분류인 eFootball은 장애인e스포츠종목에서는 채택이 안되어 있고, 비장애인 종목에서는 2023년까지 일반종목으로 채택되어 있었다. 이처럼 아직까지 경계가 확연되게 구분되어 있지 않아 장애인e스포츠를 포함한 e스포츠 영역이 과도기를 거치고 있는 중이다.
그러면 현재 2024년 기준으로 어떠한 종목들이 채택되어 있고, 어떻게 변화해야 되는지 알아보도록 하자<그림 16>.

카트라이더
hyejin_kim
①

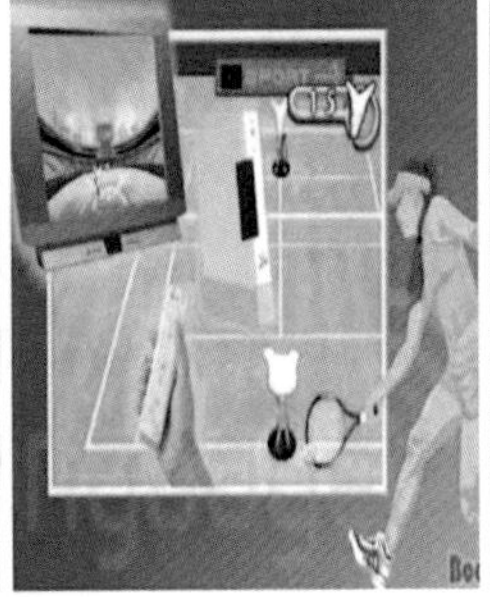

닌텐도will
hyejin_kim
②

리그오브레전드
hyejin_kim
③

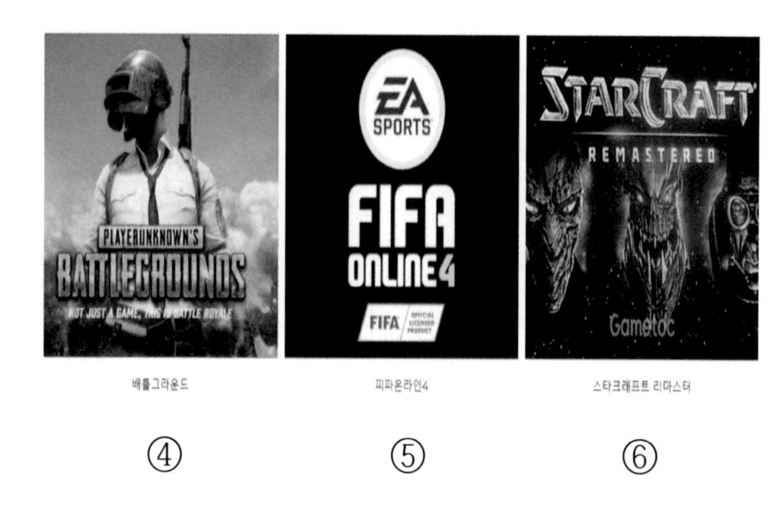

<그림 16>. 장애인e스포츠 정식종목.

가장 먼저 보이는 그림 ①은 '카트라이더'이다. 2000년 초반때부터 한번이라도 컴퓨터 게임을 해봤던 사람이라면 누구나 접했을 장애인e스포츠 대표 종목이다. 최근 넥슨 (2023. 01. 28)에 발표한 자료에 따르면 카트라이더 누적 회원수가 약 2천 8백만 명을 기록하였다고 발표하여 5천 만 국민 중 절반이 한번쯤 접하였다고 해도 과언이 아닌 종목이다. 하지만 카트라이더는 2023년 3월 31일부로 서비스가 종료가 되었고, 현재는 '카트라이더: 드리프트'라는 종목으로 대체가 되었다<그림 17>.

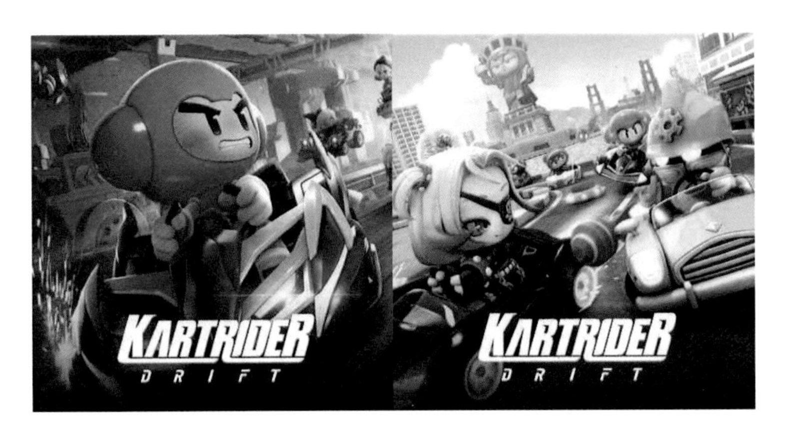

<그림 17>. 카트라이더: 드리프트 [사진=넥슨]

두 번째 그림 ②는 장애인e스포츠 종목에서 참여도가 가장 많고, e스포츠 본질에 가장 부합하다고 판단되는 종목이 바로 닌텐도 WII 스포츠이다. e스포츠의 본질은 가상 세계에서 신체적, 정신적 능력을 활용하여 승부를 겨루는 행위 또는 부대 행동들로 정의하고 있다. 이러한 관점으로 바라봤을 때 장애인들에게 재미를 선사하고 규칙이 복잡하지 않으며, 신체기능 강화 및 유지를 할 수 있는 e스포츠 종목 중 닌텐도WII 스포츠가 가장 적합하다고 판단된다.

닌텐도 종목에서 세분화 되어 볼링과 테니스 종목으로 나뉘게 된다.

다음 사진은 최근 2023년에 개최된 함평에서 개최된 2024 전남장애학생체전 대표선발전에서 닌텐도 WII 스포츠에 참가한 학생과 전국 장애인e스포츠연맹 회장배 대회에 참가한 참가자 사진이다<그림 18>.

< 그림 18>. 장애인e스포츠 대회에 참가한 참여자.

세 번째 ③은 현재 비장애인 분야에서 가장 참여율을 자랑하고 있는 '리그 오브 레전드(이하 롤)'이다. 현재 대한e스포츠협회 프로종목이고, 상금이 가장 큰 종목이다. 2022년 리그 오브 레전드 월드 챔치언십(이하 롤드컵) 최종 상금은 약 31억 원이었고, 경기 동시 시청자수는 전 세계적으로 7,386만 명이 시청한 바가 있다. 이러한 공식 기록만 봐도 리그 오브 레전드의 인기가 어느 정도인지 실감케 해준다.

하지만 반대로 장애인 e스포츠 종목에서는 다소 소외된 종목이다. 그 이유는 장애인분들이 숙지하기에 다양한 캐릭터와 규칙이 존재하고 조작법을 익히는데 오랜 시간이 걸려서 장애인e스포츠 정식종목으로는 채택되어 있지만 현 경기장에서는 자주 사용되지 않는 종목 중에 하나이다<그림 19>.

<그림 19>. 리그 오브 레전드 [사진=라이엇게임즈]

네 번째 ④는 한때 대한민국을 '치킨 각'으로 이끌었던 '배틀그라운드(이하 배그)'이다. 사격과 근접전을 기반으로 하는 FPS(First-Person Shooter) 종목이다. 배그도 현재 대한e스포츠협회의 프로종목으로 지정되어 있고, 상금도 1억 원으로 책정되어 있다. 하지만 리그 오브 레전드에 비해 인지도 및 상금이 약한 것이 사실이다. 그리고 장애인e스포츠 종목에서도 잘 선택되지 않고 있다. 리그 오브 레전드와 배틀그라운드 경우 컴퓨터 그래픽이 고화질을 추구하고 있다. 그렇기 때문에 사양이 좋아야 되고, 전력에 대한 문제도 항상 제기되고 있다.

그리고 마지막으로는 경기 시간이 길어질 수 있다는 단점이 있다. 지적 장애인의 경우 경기 시간이 지속되면 집중도가 떨어지고 이상 행동을 보일 수 있어 경기종목으로 잘 채택되지는 않는다<그림 20>.

<그림 20>. 배틀그라운드 [사진= PUBG]

다섯 번째 ⑤는 FC온라인(구: 피파온라인4)이다. FC온라인 시리즈는 2006년 시작되었으며, 몇 개의 시즌을 지나 현재는 시즌 4에 도달해 있다. e스포츠 종목 중 가장 스포츠와 비슷한 종목이라 칭할 수 있다. 현직 국가대표팀 및 선수들을 가상세계 속에서 직접 운영, 경기를 진행하다 보니 축구 기술과 전략을 필요로 하고 축구 경기의 축소판이라 볼 수 있다. 실제 경기시간 45분을 똑같이 계산하지 않고 몇 배 바른 속도로 진행되어 실제 피파온라인 경기 시간은 약 7분 내외 종료되기 때문에 박진감 넘치는 경기를 펼칠 수 있다.

FC온라인는 장애인 e스포츠 종목 중에서 두 번째로 자주 채택되는 경기 종목이며, 지체, 청각, 지적 등 장애유형 관계없이 참여 가능하다. 그리고 보통은 각자 자기 자신이 운영하는 팀으로 연습을 하지만, 경기할 때는 공식 아이디, 공식 계정을 통해 접속이 가능하며, 외국 선수는 출전 금지, 대한민국 선수들 중에서만 플레이가 가능하다<그림 21>.

<그림 21>. FC온라인 [사진=넥슨]

여섯 번째 ⑥는 게임을 한 번이라도 해봤다면 누구나 알 수 있는 게임인 '스타크래프트; 리마스터'이다. 스타크래프트는 e스포츠의 초석을 만든 게임이며, 1998년부터 2012년까지 프로게임종목으로 자리매김하였다. 또한, 프로게이머, 프로선수를 탄생시켰으며, 2004년 부산 광안리에 프로게임 결승전에 2박 3일 동안 10만 명을 응집시켰다.

그리고 OGN(온게임넷), OP.GG 등과 같은 e스포츠 전문 채널을 탄생시키는 초석을 다졌다. 사실 e스포츠 모든 것에 초석을 다졌다고 해도 과언이 아니다. 스타크래프트는 1998년에 발매가 되었지만 그래픽 개선 및 정교함을 살리기 위해 2017년 8월에 리마스터 라는 이름으로 재출시 되었다. 현재 대한e스포츠협회는 스타크래프트를 프로·일반·시범 종목에도 올리지 않고 있고, 장애인e스포츠 종목에는 포함되어 있지만 잘 채택되지 않는 종목 중 하나이다<그림 22>.

<그림 22>. 스타크래프트: 리마스터 [사진=블리자드]

이처럼 장애인e스포츠 종목에는 6가지가 포함되어 있지만 시범종목으로 '철권7', '닌텐도 스위치 배드민턴', '인도어 로잉', '휠체어 레이싱' 등 다양한 종목들도 채택되어 현 경기장에서 종종 경기 모습을 선보이고 있다<그림 23>.

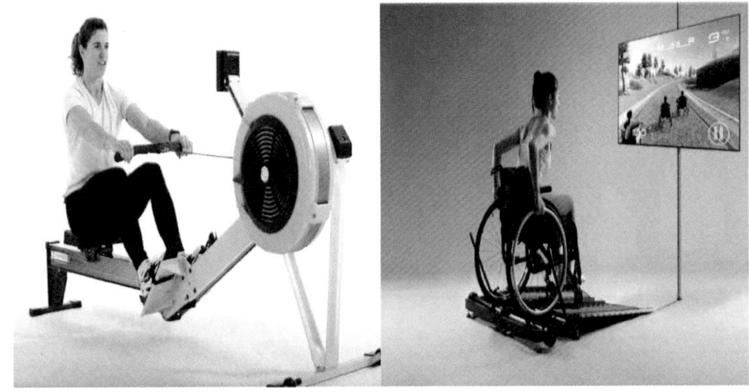

<그림 23>. 장애인e스포츠시범 종목 [사진= 반코, 닌텐도, 휠리엑스]

2. 장애인e스포츠 경기규정

참가자격: 해당 연도 대한장애인체육회 선수등록을 마친 자로 규정하고 있다.

1) 리그 오브 레전드(개인전)

장애유형: 지체, 시각, 청각, 지적 장애
장애등급: OPEN
성별: 혼성
대전방식: 1:1 개인전
아이디: 개인아이디 사용
승리조건: 예선 ~ 8강 3선 2선승제
4강 ~ 결승 5전 3선승제
게임설정: 사용자 설정 게임, 소환사의 협곡, 비공개선택, 로비관전자 공개로 진행
진행방식: CS 50개 수급, 퍼스트 블러드, 포탑방패 2칸 채굴 중 한 가지 조건달성 시 승리(포탑처형도 퍼스트블러드로 인정, 귀환 2회 시 실격(1회만 인정)
경기시간: 최대 8분
경기방법: 8분이 되면 CS 처치 수가 높은 사람이 승자
모든스킨 불가
감정표현 불가

2) FC온라인(개인전)

장애유형: 지체, 시각, 청각, 지적 장애

장애등급: OPEN

성별: 혼성

대전방식: 1:1 개인전

아이디: 대회ID 사용(스쿼드 선수 자유롭게 사용가능)

승리조건: 예선 ~ 결승 3선 2선승제

진영선택: 코스토인 후 승자가 선택

경기장: 홈팀 경기장

축구공: 기본

경기시간: 최대 8분

- 무승부 시 연장전/승부차기 진행

3) 카트라이더 드리프트(개인전)

장애유형: 지체, 시각, 청각, 지적 장애

장애등급: OPEN

성별: 혼성

대전방식: 8인 개인전(인원에 따라 각 조별 인원조정 가능)

승리조건: 예선~8강 / 5게임 집계

4강~결승 / 7게임 집계

집계기준(개인전)

순위	인원수	1위	2위	3위	4위	5위	6위	7위	8위	retire
포인트	8명	10	7	5	4	3	1	0	-1	-3
	7명	10	7	5	4	3	1	-1		-3
	6명	10	7	5	4	2	0			-1
	5명	10	7	5	4	2				0
	4명	7	5	3	2					0
	3명	5	3	2						0
	2명	3	1							0
* 2022 카트라이더 리그 시즌2 대회규정을 준함										

경기채널: 통합

아이디: 개인 ID 사용

카트바디: 계정 내의 카트 바디 중 희귀 카트 사용(풍선 사용 금지, 기어 강화도 자유), 휠 및 바디 스킨 등 사용가능

캐릭터: 계정 내 캐릭터 중 택 1(등급 제한 없음)

경기트랙: 랜덤 스피드 전용

4) 닌텐도 스위치 테니스(개인전)

대전방식: 1:1개인전

경기종목: 테니스

소프트웨어: 닌텐도 스위치 Sports

경기채널: 3게임승리 설정

승패결정: 5전 3선승(예선 ~ 결승)

캐릭터: 소프트웨어 내 게스트 모드, 캐틱터 선택

5) 닌텐도 스위치 볼링(개인전)

대전방식: 1:1개인전
경기종목: 볼링
소프트웨어: 닌텐도 스위치 Sports
승패결정: 2번의 경기를 진행하여 높은 점수가 본인의 최종 기록으로 기록됨. 모든 등록된 선수들 경기가 끝난 후 점수에 따른 순위 집계
캐릭터: 소프트웨어 내 게스트 모드, 캐틱터 선택

6) 인도어로잉(개인전)

□ 종별 및 세부종목

장애유형	등급			성별		세부종목	비고
지체	PR1	PR2	PR3-PD	남	여	1,000m 타임레이스	
청각	Open			남	여	1,000m 타임레이스	
시각	Open			남	여	1,000m 타임레이스	
지적	Open			남	여	1,000m 타임레이스	

세부종목별 참가인원에 따라 예선, 결선을 구분하여 타임레이스 방

식으로 경기운영

시각장애부는 안대를 착용하고 경기에 참여한다.(시각 장애부 안대는 참가선수가 준비하고 대회전 심판에게 검사받는다.)

모든 경기를 1,000m 레이스로 운영된다.

개인전 예선은 타임레이스에 의해 결선 자격을 부여한다.

개인전은 예선전 기록을 통해 10위까지 결승에 진출하며 10명 미만 참가종목은 예선전을 레인배정 경기로 진행한다.

개인 결승전 기록기준으로 5,6,4,7,3,8,2,9,1,10 레인순으로 배정한다.

7) 휠체어레이싱(개인전)

ㅇ 휠체어레이싱

- 휠리엑스(휠체어용 트레드밀) 위에서 휠체어의 좌우 바퀴를 조작하여 진행하는 레이싱 게임
- 좌우 바퀴의 조작을 통한 커브를 지나는 움직임이 중요함

장애유형	등급	성별		세부종목	비고
지체	하지장애(정도가심한장애)	남	여	레이싱 종목	
	하지장애(정도가심하지않은장애)			레이싱 종목	

지체 장애인 중 휠체어를 사용하는 자

상지 절단은 참가불가

자력으로 휠체어 사용이 가능한 자

대전방식: 1대1 개인전

승리조건: 결승전에 먼저 통과하는 자가 승리

경기시간: 4분 이내

경기방법: 세부종목별 참가인원에 따라 기록과 무관하게 매칭 된 상대 선수를 이기는 방식으로 경기 진행

본인 수동 휠체어를 사용함

3. 장애인e스포츠 장애 유형 및 규정, 규칙

최근 대한장애인체육회, 한국콘텐츠진흥원, 대한장애인e스포츠연맹은 보다 장애인e스포츠를 공정하고 스포츠로서 저변 확대하기 위해 2024 장애인e스포츠 등급 분류을 새로 규정하고 발간하였다. 따라서 본 장에서는 새롭게 내용을 발췌하여 첨부하였으며, 바뀐 등급 분류 및 규정은 무엇인지 보다 면밀하게 알아보고자 한다.

1) 국내외 e스포츠 및 장애인 e스포츠 사례분석

국내에서는 KOCCA 연구보고서인 '장애인 e스포츠 활성화를 위한 스포츠 등급분류 연구 소개 및 분석'에서 장애인 e스포츠에 대한 등급 분류를 처음 시도하였다. 그러나 스포츠 종목의 특성을 고려하지 못한 구분이 모호한 등급들과 해부학적 기능 및 특징을 고려한 보건의료의 측면에 기반하여 등급 분류의 개편이 필요할 것으로 판단되어 등급 분류의 필요성을 제시하였다.

2) 국내 장애인e스포츠 분류 현황

2023년 4월까지 대한장애인e스포츠연맹에서 분석한 국내 장애인 e스포츠의 분류에 대한 통계자료를 분석하였을 때 뇌병변 장애, 자폐성 장애, 시각장애 참여 인원수가 매우 적어 원활한 경기 운영이 불가능했을 것으로 생각이 되며, 앞에서 다루었듯 지적 장애, 지체

장애, 뇌병변 장애를 비롯하여 전반적으로 분류가 기능적, 장애 정도에 따른 분석 등의 데이터가 없어 합리적인 분류가 되어 있지 못하였다.

3) 국외 장애인 e스포츠 유사종목(체스) 등급분류시스템 조사

체스의 경우 크게 시각장애, 뇌성마비와 뇌손상장애, 운동장애로 구분하며 해당 장애의 구체적인 정도에 따라 플레이어의 등급을 분류한다. 뇌병변장애와 운동장애를 구분하며 일부 분류에서 기능장애를 반영했으나 전반적으로 기능과 상관없이 장애 유형을 기반으로 분류하고 있는 점은 한계점으로 생각할 수 있다. 특히 e스포츠의 관점에서는 보았을 때, 관절 장애나 아테토시스는 정도에 따라 원활한 플레이가 어느 정도 가능할지에 대한 분석이 필요하며 이를 반영하여 등급 분류 규정을 고려해야 한다.

4) 장애인e스포츠 등급 분류 종목선정

국내 장애인e스포츠의 현황과 유관 기관과의 논의를 거쳐 다음과 같은 종목에 대해 등급분류를 제정하기로 합의하였고, 이 중 버추얼 종목인 휠리엑스는 아직까지 소프트웨어 보급이 미흡하여 본 연구에서는 제외하였다.

(1) PC종목(3개)

- 리그오브레전드: 키보드 + 마우스
- 피파온라인4: 키보드 또는 조이스틱
- 카트라이더: 키보드 또는 조이스틱

(2) 콘솔 종목(2개)

- 닌텐도 스위치 테니스
- 닌텐도 스위치 볼링

(3) 시각종목(1개)

- 오델로

(4) 버추얼종목(1개)

- 휠리엑스

5) 장애인e스포츠 등급분류 시스템 개발

(1) 원칙

국제패럴림픽위원회(IPC) 등급분류 코드 및 국제표준에 근거하고, 등급분류 표준화연구의 표준화된 등급분류 용어 적용

(2) 종목별 등급분류의 방향성

(1) PC종목: 게임 종목별 등급분류 방법 보다 등급분류의 확장성에 무게를 두어 게임의 입력기별 등급분류 방법을 채택함
(2) 콘솔종목: 게임의 특성상 종목별 등급분류 방법을 채택함
(3) 시각종목(오델로): 시각 장애인의 특성에 맞게 기존 시각장애인에 적용하는 IBSA 기준을 차용함

(3) 장애인e스포츠 종목의 적격장애

포괄적인 참여를 유도하기 위해 8가지 신체장애 유형(근력저하, 수동관정운동범위 장애, 사지결손, 사지길이차이, 저산장, 과진장증, 운동실조증, 아테토시스) 외에 시각장애, 지적장애, 청각장애 항목을 모두 포함하였다.

6) 본 등급분류의 특징

(1) 신체장애

- 중복장애: e스포츠를 운용하는 서로 다른 사지에 적격장애가 동시에 존재할 때 중복장애를 적용
- 중추신경손상 가중치: e스포츠의 특성상 섬세동작의 중요성을 고려하여 중추신경장애가 동반된 마비의 경우 가중치를 적용함.

- 조건부장애: 장애인e스포츠의 국제등급분류 규정이 마련되지 않은 상태에서 장애인e스포츠 선수가 존재하는 점을 고려하여 조건부장애를 포함하였다. 즉, 장애인e스포츠의 적격장애 조건에 해당되고, 장애인 복지법에 근거한 국가장애판정을 받았으나, 그 장애 정도가 경미해 장애인e스포츠의 최소장애 기준을 충족하지 못하는 경우를 조건부 장애로 규정하고, 스포츠등급에 포함시켰다.

(2) 시각장애

시각장애의 경우에는 한국시각장애인스포츠연맹(KBSA)와 국제시각장애인스포츠연맹(IBSA) 등급 분류 규정을 검토하였고, 국내의 경우 IBSA에 기반한 등급분류가 활발히 이루어지고 있어 이를 차용하여 등급 분류 규정을 제정하였다. 다만 시력 및 시야가 매우 제한적인 경우 장애인 e스포츠의 종목에 따라 진행이 어느 정도 가능할지는 면밀히 관찰해야 할 것으로 판단되며, 경기 진행 가능 여부에 따라서 등급 분류 규정에 대한 수정도 일부 필요할 수 있다는 점을 고려해야 할 것이다.

(3) 청각장애

청각장애는 한국 농아인 스포츠 연맹(KDSF)와 ICSD 등급분류 규정을 검토하였으며 국내에서는 ICSD 등급분류가 많이 이루어지지 않고 있다는 지적이 있었고 국내 장애인복지법에 따른 청각장애인의 분류가 존재하므로, 장애인복지법의 청각장애 기준을 인정하여 등급분류를 제정하였다. 향후 ICSD 등급분류사가 다수 배출되고, 국내에서 ICSD 등급분류의 접근성이 현재보다 개선되면, ICSD 등급분류의 최소장애 및 등급 기준으로 변경하는 것도 고려해야 할 것이다.

(4) 지적장애

지적장애인 스포츠는 국제 지적장애인 스포츠 연맹인 VIRTUS에서 규정하는 적격장애 및 분류 규정을 검토하였다. 그러나 국내에서 VIRTUS 등급 분류가 많이 이루어지지 않고 있고, 등급분류의 접근성이 떨어진다는 점이 단점이다. 국내 장애인복지법에 따른 지적장애인의 분류가 존재하므로 이를 근거로 등급분류를 제정하였다. 하지만 이는 VIRTUS에서 규정한 추가 장애를 가진 선수나 자폐장애인에 대한 분류 없이 지적장애만을 고려한 점과 IQ에 대한 최소장애가 75점에서 70점으로 변경된다는 한계점이 존재한다.

7) 장애인e스포츠 스포츠등급(Sport Class)

(1) 콘솔종목 스포츠등급	
좌식	eCW1(중증) eCW2(중등도) eCW3(경증)
입식	eCS1(중증) eCS2(중등도) eCS3(경증) eCS4(조건부)

(2) PC종목 스포츠등급	
	ePC1(중증) ePC2(중등도) ePC3(경증) ePC4(조건부)

스포츠 등급 - 근력

콘솔 종목		경기하는 상지-수부-체간		경기하는 수부		양측 하지
좌식	최대점수	135		50		
스포츠등급	eCW1(중증)	21		15		
	eCW2(중등도)	13		5		
	eCW3(경증)	NA		NA		
입식	최대점수	135		50		80
스포츠등급	eCS1(중증)	32		23		24
	eCS2(중등도)	26		15		16
	eCS3(경증)	20		8		8
	eCS4(조건부)	NA		NA		NA
PC 종목		편측 상지	양측 상지	편측 수부	양측 수부	양측 하지
	최대점수	70	140	50	100	80
스포츠등급	ePC1(중증)	30	45	24	36	NA
	ePC2(중등도)	23	35	17	25	NA
	ePC3(경증)	14	21	10	15	NA
	ePC4(조건부)	NA	NA	NA	NA	NA

스포츠 등급 - 절단

콘솔 종목		절단기준		
좌식		상지절단		하지절단
스포츠 등급	eCW1(중증)	① 경기하는 수부 중 총 2개의 손가락이 MCP 관절에서의 절단이 있는 경우 ② 경기하는 수부 중 엄지, 검지, 중지 중 1개의 MCP관절에서의 절단과 약지와 소지가 함께 절단된 경우 * 단, 장애인e스포츠 콘솔종목 중 [볼링] 종목의 경우, MCP 관절이 아닌 PIP 관절로 평가한다		
	eCW2(중등도)	① 경기하는 수부의 엄지, 검지, 중지 중 총 1개의 MCP 관절에서의 절단이 있는 경우 ② 경기하는 수부의 약지와 소지의 MCP 관절에서의 절단이 있는 경우 * 단, 장애인e스포츠 콘솔종목 중 [볼링] 종목의 경우, MCP 관절이 아닌 PIP 관절로 평가한다		
	eCW3(경증)	① 경기하지 않는 상지(non playing arm)의 모든 절단		① 하지의 모든 절단
입식		상지절단		하지절단
스포츠 등급	eCS1(중증)	① 경기하는 상지의 손가락 중 총 1개의 MCP관절에서의 절단이 있는 경우 * 단, 장애인e스포츠 콘솔종목 중 [볼링] 종목의 경우, MCP 관절이 아닌 PIP 관절로 평가한다		① 일측의 엉덩이관절이단(hip disarticulation) 이상의 절단 ② 의학적으로 의지를 착용하지 못하는 BK이상의 절단
	eCS2(중등도)	① 경기하는 수부 중 총 2개의 손가락이 MCP 관절에서의 절단이 있는 경우 ② 경기하는 수부 중 엄지, 검지, 중지 중 1개의 MCP관절에서의 절단과 약지와 소지가 함께 절단된 경우 * 단, 장애인e스포츠 콘솔종목 중 [볼링] 종목의 경우, MCP 관절이 아닌 PIP 관절로 평가한다		① 일측 하지의 무릎관절이단(knee disarticulation) 이상의 절단 예. AK절단
	eCS3(경증)	① 경기하는 수부의 엄지, 검지, 중지 중 총 1개의 MCP 관절에서의 절단이 있는 경우 ② 경기하는 수부의 약지와 소지의 MCP 관절에서의 절단이 있는 경우 * 단, 장애인e스포츠 콘솔종목 중 [볼링] 종목의 경우, MCP 관절이 아닌 PIP 관절로 평가한다		① 일측의 발목관절(Syme level) 이상의 절단 예. BK절단
	eCS4(조건부)	① 경기하지 않는팔(Non playing arm)의 절단		① 발목관절(Syme level) 보다 원위부의 절단(예. 리스프랑 절단)
PC 종목		키보드 사용손	마우스	조이스틱
스포츠 등급	ePC1(중증)	① 양측 손가락에 총 2개의 MCP 관절에서의 절단과 추가적의 다른 손가락의 PIP관절에서의 절단 (엄지와 소지의 경우 1/2로 계산) ② 일측 손가락 중 2개의 MCP 관절에서의 절단 (엄지와 소지의 경우 1/2로 계산) ③ 일측 손가락 중 1개의 MCP 관절에서의 절단과 추가적인 2개의 다른 손가락의 PIP 관절에서의 절단(엄지와 소지의 경우 1/2로 계산) ④ 일측 손가락 중 총 4개 이상의 PIP 관절에서의 절단 또는 양측 손가락의 5개 이상의 PIP 관절에서의 절단(엄지와 소지의 경우 1/2로 계산)	① 일측 손가락 중 1개의 MCP 관절에서의 절단과 검지, 중지, 약지의 1개의 추가적인 PIP관절에서의 절단 ② 일측 검지, 중지, 약지 모두의 PIP 관절에서의 절단	① 양측 손가락에 총 2개의 MCP 관절에서의 절단과 추가적이 다른 손가락의 PIP관절에서의 절단 (약지와 소지의 경우 1/2로 계산) ② 일측 손가락 중 2개의 MCP 관절에서의 절단 (약지와 소지의 경우 1/2로 계산) ③ 일측 손가락 중 1개의 MCP 관절에서의 절단과 추가적인 2개의 다른 손가락의 PIP 관절에서의 절단(약지와 소지의 경우 1/2로 계산) ④ 일측 엄지의 MCP 관절에서의 절단 ⑤ 일측 엄지의 PIP 관절에서의 절단과 검지, 중지 모두의 PIP 관절에서의 절단 ⑥ 양측 엄지의 PIP 관절에서의 절단과 검지, 중지 중 1개의 추가적인 PIP관절에서의 절단 ⑦ 양측 검지와 중지의 PIP에서의 절단 또는 더 심한 상태
	ePC2(중등도)	① 양측 손가락에 각각 1개의 MCP 관절에서의 절단 (엄지와 소지의 경우 1/2로 계산) ② 일측 손가락 중 1개의 MCP 관절에서의 절단과 추가적인 다른 손가락의 PIP 관절에서의 절단(엄지와 소지의 경우 1/2로 계산) ③ 일측 손가락 중 총 3개 이상의 PIP 관절에서의 절단 또는 양측 손가락의 4개 이상의 PIP 관절에서의 절단(엄지와 소지의 경우 1/2로 계산)	① 일측 손가락 중 1개의 MCP 관절에서의 절단과 검지, 중지, 약지의 1개의 추가적인 PIP관절에서의 절단 ② 일측 검지, 중지, 약지 모두의 PIP 관절에서의 절단	① 양측 손가락 중 각각 1개의 MCP 관절에서의 절단(약지와 소지의 경우 1/2로 계산) ② 일측 손가락 중 1개의 MCP 관절에서의 절단과 추가적인 다른 손가락의 PIP 관절에서의 절단(약지와 소지의 경우 1/2로 계산) ③ 일측 엄지의 PIP관절에서의 절단과 검지, 중지 중 1개의 추가적인 PIP 관절에서의 절단 ④ 양측 엄지의 PIP 관절에서의 절단 ⑤ 양측 검지와 중지 중 3개의 PIP에서의 절단
	ePC3(경증)	① 일측 손가락 중1개의 MCP 관절에서의 절단 (엄지와 소지의 경우 1/2로 계산) ② 일측 손가락 중 2개의 PIP 관절에서의 절단 (엄지와 소지의 경우 1/2로 계산)	① 일측 손가락 중 1개의 MCP 관절에서의 절단 ② 일측 손가락 중 검지, 중지, 약지 중 2개의 PIP 관절에서의 절단	① 일측 손가락 중 1개의 MCP 관절에서의 절단(약지와 소지의 경우 1/2로 계산) ② 일측 손가락 중 엄지의 PIP 관절에서의 절단 ③ 일측 손가락 중 검지와 중지의 PIP 관절에서의 절단

스포츠 등급 -중추신경장애 및 중복장애 가중치

콘솔 종목		CNS	중복장애기준	
좌식			사지, 체간 중 다른 부위	동일 부위
스포츠등급	eCW1(중증)	중증	중등도 x 2	중등도 근력장애 x CNS경증
	eCW2(중등도)	경증		
	eCW3(경증)			
입식	최대점수			
스포츠등급	eCS1(중증)	중증	중등도 x 경증, 경증 x 3	중등도 근력장애 x CNS경증
	eCS2(중등도)		경증 x 2	경증 근력장애 x CNS경증
	eCS3(경증)	경증		
	eCS4(조건부)			
PC 종목				
스포츠등급	ePC1(중증)	중증	중등도 x 경증, 경증 x 3	중등도 근력장애 x CNS경증
	ePC2(중등도)		경증 x 2	경증 근력장애 x CNS경증
	ePC3(경증)	경증		
	ePC4(조건부)			

그 외 신체장애 중 적격장애에 해당하는 최소장애기준을 제정함 (원본참조)

스포츠 등급 - 지적장애, 시각장애, 청각장애

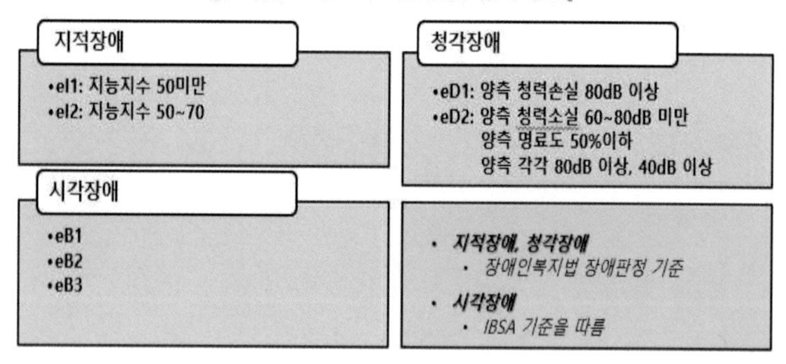

4. 장애인e스포츠 보조 도구

현재 장애인e스포츠 분야에서 사용되고 있는 장비는 사실상 일반적인 컴퓨터 장비와 크게 다르지 않다. 비장애인들이 사용하는 마우스, 키보드, 모니터, 콘솔 장비, 테이블 등이 사용되고 있다.
하지만 e스포츠 분야가 아닌 일반적인 컴퓨터 사용 분야에서는 장애인들을 위한 장비들이 존재하고 있는데 어떠한 장비가 있고 e스포츠 분야에 어떻게 접목이 되는지 알아보고자 한다. 그리고 본 저서를 통해 장애인들을 위한 e스포츠 보조 장비 및 컴퓨터 보조 장비가 더욱 많이 개발되었으면 한다.

1) **아이트래킹**(Eye Tracking) : 현대 IT제품에 대부분 적용되고 있는 기술중에 하나이다. 사용자의 시선을 추적하는 기술 중에 하나이다. 무엇을 보는지, 어떠한 곳에 시선이 머무는지 등을 추적할 수 있어 매우 각광을 받고 있는 기술이다. 이 기술을 신체적 제약으로 인하여 제대로 사용할 수 없는 뇌성마비, 지체 장애인들에게 보급하여 컴퓨터 접근성을 제고하는 기술로 활용되고 있다. 아직 보급이 미비한 편에 속하지만 정부와 관련 기관들은 보급을 서두르고 있으며, 아이트래킹과 장애인에 대한 연구는 지속적으로 규명되고 있다<그림 24>.
아이트래킹 기술이 접목된 장비가 장애인 e스포츠 분야에 사용이 된다면 뇌병변 장애인들의 참여가 더욱 확대될 것으로 판단된다.

이를 통해 꼭 신체를 사용해야 스포츠 활동할 수 있는 범위에서 벗어나 신체적 제약이 있지만 멘탈과 시야를 통해서도 e스포츠에 참여할 수 있음을 규명하는 것이다. 본 기술은 복지 국가 및 사회적 발전을 위해서 하루빨리 도입이 되어야 할 것이다.

<그림 24>. 아이트래킹 [사진=토비 다이나박스]

2) **어댑티브 악세서리**(Adaptive Accessories) : 최근 마이크로소프트에서 개발된 어댑티브 악세사리가 장애인들 사이에서 인기가 상승하고 있다.

(1) **어댑티브 마우스**: 어댑티브 마우스의 기본 형태는 정사각형으로, 버튼과 센서로 구성되어 있다. 사용자는 자신의 신체적 구조에 따라 손목 받침대를 제작하여 마우스에 장착할 수 있다. 손목 받침대의 기본형은 회전으로 자유롭게 좌, 우를 바꿀 수 있어 왼손잡이와 오른손잡이 모두 편하게 사용할 수 있다.

(2) **어댑티브 버튼**: 어댑티브 버튼은 기존의 키보드를 대신하는 제

품이다. 그러다 보니 형태도 다양하게 출시가 되었다. 버튼 2개만 있는 버전, 조이스틱 버전, 버튼과 방향이 8개로 나눠진 버전이 기본으로 제공된다. 이러한 이유는 많은 대중들이 공감하겠지만 지체 장애 유형이 나뉘게 되고, 그 안에서도 지체 제약의 상태가 각기 다르기 때문에 편의성을 제고하기 위해 이렇게 출시가 되었다.

그리고 어댑티브 버튼은 각 버튼과 움직임에 사용자 정의로 지정할 수 있어 자주 사용하는 명령을 단축키처럼 입력할 수 있다. 버튼 역시 마우스처럼 3D 프린트로 보조 장치와 버튼을 추가하여 몸이 불편한 사용자가 훨씬 더 편하게 PC와 버튼을 사용할 수 있도록 하였다<그림 25>.

마이크로소프트가 개발한 본 악세사리는 내년이라도 대한장애인체육회에서 장비등록을 추진해야 할 것이다. 현재 지체 장애 유형 중 절단 장애, 관절 장애인들이 상당수 존재하고 있다. 그들 역시 e스포츠에 참여하고 싶었지만 참여할 수 있는 장비가 존재하지 않아 참여할 수 없는 실정이다.

이러한 어려움을 앞세워 본 장비가 하루빨리 일반 컴퓨터 사용함과 e스포츠 분야에 있어 도입이 되어야 할 것이다. 이를 통해 절단 장애, 관절 장애인들에게 새로운 재미와 경험을 선사함으로써 스포츠에 대한 관심 증가와 사회 구성원으로 복귀할 수 있는 자신감을 선사하기에 매우 필요하다.

이에 대한장애인체육회 및 관련 기관들은 장애인들이 사용함에 있어 진입장벽을 낮추기 위해 가격협상 및 일부 무료 배부를 추진해야 될 것이다. 참고로 마이크로소프트에서 개발한 제품들은 대부분 가격대가 상위권에 형성되어 있다. 예로 접었다 펼수 있는 '아크마우스'의 경우 대부분 7만 원대를 형성하고 있다. 일반적인 마우스가 1만 원대임을 감안하면 어느만큼인지 알 수 있다. 또한, 무선 Sculpt 키보드의 경우 13만원을 유지하고 있다. 하지만 비장애인의 경우 선택의 폭이 넓고, 다양한 제품이 존재하지만 장애인들의 경우 선택을 할 수가 없다. 하지만 제공함에 있어 가격면에서 부담이 된다면 보급이 되지만 실제 구입률은 낮아질 수 밖에 없어 관련기관들의 도움이 절실하게 필요하다. 이러한 점을 미리 인지하고 관련 기관들은 적절한 대처를 하기를 바란다.

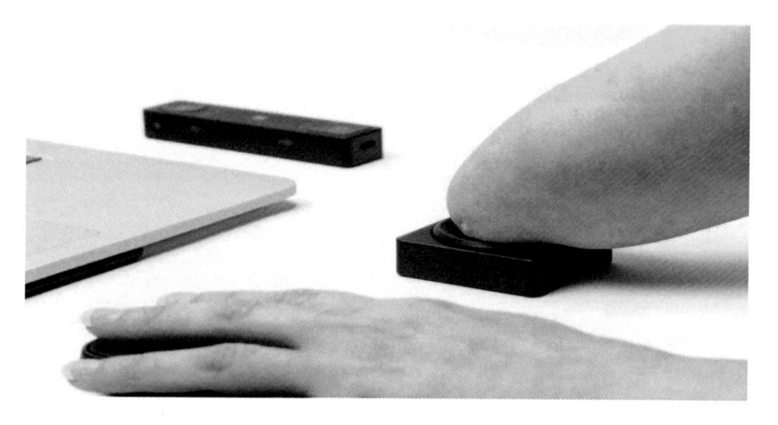

<그림 25>. 어댑티브 버튼 [사진=마이크로소프트]

3) **레오나르도 컨트롤러**(Project Leonardo): 소니(Sony)는 2023년 1월 전 세계에 신체적 제약이 있는 장애인들을 위해 쉽게 접근할 수 있게 하기 위하여 특별한 컨트롤러를 제작·발표하였다. 그 이름은 바로 ' 프로젝트 레오나르도'이다. 이 제품은 현재 판매가 되고

있는 것은 아니고 2023년 12월 6일 미국부터 판매될 예정이다. 가격은 약 11만 원 정도로 책정되어 있다.

<그림 26>. 프로젝트 레오나르도 [사진=소니]

소니는 콘솔 게임의 세계적 회사이며, 주력 상품으로는 플레이스테이션(PlayStation)이 있다. 플레이스테이션5의 인기는 매우 대단하며, 예약주문 30분만에 품절 현상과 대란 현상까지 나타나 전 세계적으로 플레이스테이션의 인기를 실감할 수 있었다. 현재 2023년 플레이스테이션은 정가 2배를 주고도 구매를 못하는 상품으로 등록되어 있다. 이처럼 전 세계적으로 인기를 끌고 있는 소니 회사가 장애인들에게도 보편적 접근을 하귀 위해 컨트롤러를 선보였다는 것은 장애인들에게 매우 희소식이며, 접근성을 높이기 위한 수단으로 판단된다<그림 26>.

제5장

장애인e스포츠 연구

제5장 장애인e스포츠 연구

마지막 5장에서는 장애인e스포츠 활성화 및 문제점, 그리고 학문적 영역을 구축하기 위해 본 저자가 국내 전문학술지에 게재한 연구를 삽입함으로 본 저서를 마무리하고자 한다.

1. 청각 장애인이 지각하는 e스포츠 인식 및 차이분석

Ⅰ. 서 론

최근 대중들의 e스포츠 관심 및 참여는 날로 커지고 있으며 e스포츠 산업 규모 역시 매년 성장해나가고 있다. 이제 e스포츠는 단순한 게임의 분야를 넘어서 스포츠, 문화, 방송, IT기술이 융·복합된 21세기 새로운 스포츠로 자리매김하고 있다(Lee S, H, 2021).

특히, 2020년 누구도 예상할 수 없던 코로나19 (COVID-19)와 같은 사회적 변화는 짧은 시간에 패턴을 변화시킬 뿐만 아니라 비대면을 통한 스포츠 활동 출현을 앞당기는 환경을 제공하였다(Lee J, H., Kim J, H., Lim S, J., Cho H, K, 2021). 이에 뉴주(Newzoo)에 따르면 2021년 e스포츠 시장규모는 11억 달러에 달할 것으로 보고하였으며, 코로나19 사태 이후 가장 크게 성장하는 스포츠 종목으로 선정하였다(Lee J, W., Lee J, W., Kim H, N, 2021).

이처럼 e스포츠 산업규모는 성장해 나가고 있고, 동시에 대중들의 관심 및 참여 역시 성장해 나가고 있다(Lee H, S., Park D, W, 2021). 최근 열린 2020 리그 오브 레전드 월드 챔피언십 결승전 전 세계 시청자 수는 9,960만명으로 집계되었는데 2019 미국 슈퍼볼 결승전 관람객이 9,740만명인 것을 비교하면 e스포츠 인기가 얼마나 대단한지 실감할 수 있다(Kim Y, M, 2021).

또한, 한국콘텐츠진흥원(2019)에서 1,449명을 대상으로 e스포츠 실태조사를 실시한 결과 e스포츠를 64.5%는 인지하고 있었고, 40.4%는 e스포츠에 참여 하고 있는 것으로 나타나 실생활에 e스포츠가 얼마나 밀접하게 자리매김하고 있는지 나타내는 결과이기도 하다.

더불어 e스포츠는 산업분야 뿐만 아니라 학문적 토대구축을 빠르게 해나가고 있는데 정영수, 김영성, 황옥철(2021)은 e스포츠는 미래교육이며 보편적 학습설계를 해야 된다고 주장하였고, 이학준[2021]

역시 e스포츠는 포스트 코로나 시대 스포츠의 새로운 기준점이라 주장하여 e스포츠의 중요성을 강조하였다. 이처럼 e스포츠와 다양한 변인 간의 관계를 증명한 연구(Lee H, J, 2021; Kim S, 2021; Jeong Y, D, 2021; Lee S, H., Hwang O, C, 2020)가 증명되고 있어 e스포츠는 학문적 영역 역시 산업분야처럼 영역을 빠르게 확장해 나가고 있다.

이처럼 e스포츠는 대중들의 관심 및 규모 상승, 학문적 토대 구축 등 다양한 방면에서 성장해 나가고 있지만 보편적 접근에 의거하는 장애인들을 대상으로 한 e스포츠의 관한 연구는 전무한 실정이다(Park S, H., Jung Y, R, R., Lee Y, H, 2019).

통계청 발표에 따르면 현재 장애인 전체 등록 수는 약 263만명이며, 지체장애인은 126만명 청각 장애인은 약 40만명으로 집계되고 있다(Ministry of Health and Welfare, 2018). 그 중 청각 장애인은 청력의 장애로 의사소통 문제, 소리를 들을 수 있는 능력이 저하되어 있거나, 전혀 들리지 않는 장애인으로 정의되고 있다(Seo Y, K., Ahn S, W, 2021). 하지만 비장애인들 시선으로 바라볼 때 지체장애인의 경우 외형에서 장애인지를 할 수 있지만 청각 장애인의 경우 비장애인과 외형이 다르지 않아 청각 장애인의 어려움이 외면당하는 경우가 많아 안타까움을 자아내고 있다(Kim J, Y., Lee D, Y, August 17, 2021).

또한, 설상가상으로 현재 코로나19와 같은 사회적 변화에 따라 대면 활동이 불가한 상황에서 청각 장애인들은 보다 코로나19 이전보다 소극적으로 행동할 수 밖에 없는데, 청각 장애인들이 건강한 삶을 영위하기 위해서는 다양한 복지혜택 및 스포츠 참여유도가 필요한 시점으로 판단된다(Lee J, H., Choi K, H., Cho H, K, 2021).
현재 시점으로 청각 장애인들에게 스포츠의 중요성이 강조되는 가운데 신선한 재미와 경험, 협동을 통한 사회성 증진, 미션을 통한 성취감 등 긍정적인 신념을 형성하고 사회 일원으로 복귀할 수 있는 개인적 믿음을 선사해줄 수 있는 스포츠가 바로 e스포츠인 것이다(Lee S, H, 2020). e스포츠의 장점은 대면 스포츠와 다르게 지정된 장비, 장소, 시설이 없어도 언제 어디서나 pc, 스마트폰, 인터넷만 연결되어 있으면 참여할 수 있다는 장점을 지니고 있으며, 스포츠 중 유일하게 장애인과 비장애인이 동등한 경기를 치룰 수 있다는 매우 큰 장점을 지니고 있어 장애인들에게 매우 필요한 스포츠이다(Park S, H, Jung Y, R, R., Lee Y, H., Kim B, M, 2019).
이처럼 e스포츠는 청각 장애인들에게 매우 필요한 새로운 스포츠임에도 불구하고 많은 청각 장애인들을 소통능력 부족 및 커뮤니케이션 불화 등 이유로 이러한 인식체계를 인식하고 못하고 참여하지 못하고 있는 실정이다(Lee J, H., Choi K, H., Cho H, K, 2021).
과거 선행연구들을 살펴보면 청각 장애인들의 스포츠 참여는 심리적 요인과 행동적 요인에 매우 긍정적인 영향을 미친다는 연구(Shin Y, A, 2016; Lee C, G., Hyun K, S., Cho B, J., Kim Y, P, Kim Y, J, 2002; Lee E, S, 2004)가 증명되어 스포츠 효과성을 증명하고 있다. 하지만 현 시점에 맞는 비대면을 통한 스포츠 참여 효과성을 증명한 연구는 미비한 실정이다.
이에 본 연구는 청각 장애인들이 e스포츠 참여함에 있어서 심리,

행동적 효과성을 증명하기 전에 e스포츠 기초조사인 인식조사 및 현황분석, 인식의 차이를 규명하여 제시해야 될 필요성이 있다고 판단된다. 현재 청각 장애인들에 대한 e스포츠 기초조사인 참여실태조사 및 인식여부에 관한 연구는 전무한 실정이다.
기초연구를 토대로 향후 청각장애인들을 위한 e스포츠 참여 유도 방안 및 발전 방향을 모색한다면 보다 실증적인 연구가 될 것으로 판단된다.
이에 본 연구는 청각 장애인들을 대상으로 e스포츠 에 대한 인식 및 참여여부, 실태를 규명하고 실질적인 e스포츠 활성화 방안을 제시하는데 의의가 있다. 이러한 본 연구목적하에 연구 수행을 위한 구체적 연구 문제는 다음과 같다.
첫째, 청각 장애인들이 인식, 참여하고 있는 e스포츠에 대한 실태를 규명한다.
둘째, 청각 장애인들의 e스포츠 참여 계기, 방법, 종목에 대해 규명한다.
셋째, 청각 장애인들의 e스포츠 참여 여부 및 어려웠던 점을 규명한다.
넷째, 청각 장애인들이 e스포츠를 인정하지 않는 이유와 향후 여부에 대해 규명한다.
다섯째, 성별에 따른 e스포츠 인식, 인정, 참여여부 차이에 대해 규명한다.

Ⅱ. 연구 방법

1. 연구대상

본 연구는 2021년 11월 1일부터 12월 1일까지 서울 및 경기지역에 거주하는 청각 장애인들을 대상으로 진행하였으며, 편의표본추출법을 이용하여 대면 & 온라인 설문지를 병행배포 하였다.
대면 설문지 배포방법으로는 대한농아인협회 및 대한농아인스포츠연맹을 방문하여 담당자에게 본 연구의 목적 및 취지를 설명한 후에 협회 및 연맹을 방문한 청각장애인들에게 대면 설문지를 배포하였다. 또한, 온라인 설문지는 청각 장애인들에게 본 연구의 취지 및 목적을 설명한 후에 개인적 동의를 얻고 e-mail 및 SNS을 통한 온라인 설문지를 배포하였다.
총 210명에게 설문지를 배포하였고, 미회수 및 불성실 답변 설문지 21부를 제외한 189부를 최종연구에 사용하였다. 연구대상자의 인구통계학적 특성은 <표 3>과 같다.

표 3. 인구통계학적 특성

구분	내용	인원(명)	빈도(%)
성 별	남	112	59.3
	여	77	40.7
장애유형	청각장애	189	100
연령	10대	50	26.5
	20대	101	53.4
	30대	27	14.3
	40대이상	11	5.8
최종학력	중학교재학	16	8.5
	고등학교재학	34	18.0
	고등학교졸업	72	38.1
	대학교재학	56	28.0
	대학교졸업	87	5.3
	대학원이상	13	2.1
거주지역	서울	65	34.4
	경기도	124	65.6

성별을 살펴보면 남성 112명(59.3%), 여성 77명(40.7%)로 남성의 비율이 높았으며, 연령은 10대 50명(26.5%), 20대 101명(53.4%), 30대 27명(14.3%), 40대이상 11명(5.8%)로 20대 비중이 가장 큰 것으로 나타났다. 거주지역으로는 서울 65명(34.4%), 경기도 124명(65.6%)로 나타났다. 마지막 최종학력으로는 중학교 재학 16명(8.5%), 고등학교 재학 34명(18.0%), 고등학교 졸업 72명(38.1%), 대학교 재학 56명(28.0%), 대학교 졸업 87명(5.3%), 대학원이상 13명(2.1%)로 나타났다.

2. 조사도구

현재 청각 장애인이 지각하는 e스포츠 실태조사에 관한 척도는 전혀 전무한 상황이기 때문에 비장애인들을 대상으로 진행되었던 한국콘텐츠진흥원(2019)에서 사용된 비장애인 e스포츠 참여실태조사 19문항을 청각 장애인들에 맞게 수정·보안하여 사용하였다. 인구통계학적 5문항, e스포츠 인식 및 참여여부 관련 19문항 총 24문항을 본 연구에 사용하였다.

3. 자료처리방법

수집된 자료분석은 Excel 2016과 SPSS 21.0 프로그램을 사용하여 실시하였다. 첫째, 연구대상자의 인구통계학적 특성 및 e스포츠에 관한 기초조사를 확인하기 위하여 빈도분석을 실시하였다. 둘째, 성별에 따른 e스포츠 참여여부, 인식여부, 새로운 스포츠로 인정여부를 확인하기 t-test를 실시하였다.

Ⅲ. 연구 결과

1. 청각 장애인 e스포츠 현황

1) e스포츠 인식, 인정, 참여여부

청각 장애인이 인식하는 e스포츠를 알아보기 위해 빈도분석한 결과는 <표 4>와 같다. 분석결과, 많은 청각 장애인들이 e스포츠 인식(67.7%)과 인정(61.4%), 그리고 e스포츠에 직,간접 참여(65.6%)하고 있는 것으로 나타났다.

표 4. e스포츠 인지도

변 수	문 항	명	%
e스포츠 인지도	알고 있다	128	67.7
	모른다	61	32.3
인정여부	인정한다	116	61.4
	아니다	73	38.6
참여여부	참여한다	124	65.6
	아니다	65	34.4

2. 청각 장애인 e스포츠 실태

1) e스포츠 참여방법

e스포츠에 참여하는 124명을 대상으로 e스포츠 참여방법을 알아보기 위해 빈도분석한 결과는 <표 5>와 같다. 분석결과, 청각 장애인들이 e스포츠에 참여하기 위해 가장 많은 쓰이는 기기로는 스마트폰 57명(38.9%)가 가장 많은 것으로 나타났으며, 참여종목으로는 카트라이더 41명(33.0%)으로 나타났다. 마지막으로 e스포츠 참여계기로 친구의 권유로 시작했다는 답변 79명(63.7%)이 가장 많은 것으로 나타났다.

표 5. e스포츠 참여방법, 계기, 종목

변 수	문 항	명	%
e스포츠 참여기기	PC	33	11.6
	노트북	23	24.2
	스마트폰	57	38.9
	태블릿	11	3.2
e스포츠 참여종목	LoL	17	13.7
	피파온라인4	27	21.8
	클래시로얄	9	7.3
	배틀그라운드	15	12.1
	카트라이더	41	33.0
	오버워치	15	12.1
참여계기	친구가 해서	79	63.7
	재미있어보여서	13	10.5
	다른사람과 소통	20	16.1
	e스포츠 자체가 좋아서	3	2.4
	가족 및 선생님권유	9	7.3
	합 계	124	100

2) e스포츠 불편사항 및 추천의도

청각 장애인이 e스포츠 불편사항 및 추천의도를 알아보기 위해 빈도분석한 결과는 <표 6>과 같다. 분석결과, 많은 청각 장애인들이 e스포츠 참여도중 가장 불편사항은 청각 장애인에 대한 e스포츠 프로그램 53명(42.7%)과 시설, 장소 부족 39명(31.5%)에 대한 답변이 가장 많은 것으로 나타났다. 또한, e스포츠 추천여부 조사결과 매우그렇다(7점)라는 답변(43.6%)가 가장 많이 나타났다.

표 6. e스포츠 불편사항 및 추천의도

변 수	문 항	명	%
e스포츠 불편사항	청각 장애인 e스포츠 프로그램 부족	53	42.7
	시설 및 장소부족	39	31.5
	시간 부족	2	1.6
	경제적 부담	5	4.0
	장애인 배려부족	21	17.0
	같이할 사람이 없다	4	3.2
추천의도	매우 그렇지 않다	6	4.9
	그렇지 않다	3	2.4
	조금 그렇지 않다	1	0.8
	보통이다	20	16.1
	조금 그렇다	13	10.4
	그렇다	27	21.8
	매우 그렇다	54	43.6

3. e스포츠 개선사항

1) e스포츠를 인정하지 않는 이유

e스포츠를 새로운 스포츠로 인정하지 않는 73명을 대상으로 인정하지 않는 이유를 알아보기 위해 빈도분석한 결과는 <표 7>과 같다. 분석결과, 실제 스포츠가 아니라서 답변(80.8%)가 가장 많은 것으로 나타났다.

표 7. e스포츠를 인정하지 않는 이유

변 수	문 항	명	%
e스포츠를 인정하지 않는 이유	실제 스포츠가 아니라서	59	80.8
	체육적 특성을 지니고 있지 않아서	9	12.3
	기 타	5	6.9

2) e스포츠에 참여하지 않는 이유 및 향후참여여부

e스포츠에 참여하지 않는 65명을 대상으로 참여하지 않는 이유와 향후 참여여부를 알아보기 위해 빈도분석한 결과는 <표 8>과 같다. 분석결과, 관심이 없다(32.3%)라는 답변이 가장 많은 것으로 나타났으며, 향후 e스포츠 참여여부 설문 결과 있다(67.7%)라는 가장 많은 것으로 나타났다.

표 8. 참여하지 않는 이유 및 향후 참여여부

변 수	문 항	명	%
e스포츠에 참여하지 않는 이유	관심이 없다	21	32.3
	불건전하다고 생각한다	2	3.1
	재미가 없다	12	18.5
	활동적 취미를 원한다	10	15.4
	부정적 이미지다	6	9.2
	접해 볼 기회가 없었다	10	15.4
	특별한 이유 없다	4	6.1
향후 참여여부	있다	44	67.7
	없다	21	32.3

4. 성별에 따른 e스포츠 인식, 인정, 참여여부 차이

성별에 따른 e스포츠 인식 및 인정, 참여여부에 대한 차이를 알아보기 t-test를 실시한 결과 <표 9>와 같다.

표 9. 성별에 따른 인식, 인정, 참여여부 차이

변 수	성 별	M(SD)	t	p
e스포츠 인식	남성	1.24 ± .429	2.947	.004
	여성	1.44 ± .499		
e스포츠 인정	남성	1.31 ± .465	2.541	.012
	여성	1.49 ± .503		
참여여부	남성	1.28 ± .453	2.043	.042
	여성	1.42 ± .498		

*p<.05

분석결과, 성별에 따른 인식 및 인정, 참여여부에 대해 모든 요인들이 통계적으로 유의한 차이가 있는 것으로 나타났다.

Ⅳ. 논 의

본 연구는 청각 장애인이 인식하고 있는 e스포츠 실태연구 및 성별에 따른 인식, 인정, 참여여부 차이를 규명하기 위해 분석하였으며, 본 연구결과를 통해 다음과 같이 논의하고자 한다.

첫째, 청각 장애인이 인식하고 있는 e스포츠에 대한 연구한 결과 모집단 189명 중 128명은 e스포츠를 인식하고 있는 것으로 나타났으며, 116명은 e스포츠를 새로운 스포츠로 인정하고 있으며, 124명은 e스포츠에 직·간접 참여하고 있는 것으로 나타났다. 한국컨텐츠진흥원에서 2019년도에 발표한 이스포츠 실태조사와 비교하면 비장애인 1,449명 중 65.4%인 934명은 e스포츠를 알고 있는 것으로 나타났으며, 그 중 40.4%인 585명이 e스포츠에 직·간접 참여하고 있는 것으로 나타났는데 이러한 결과와 비교하여 살펴보면 청각 장애인들이 비장애인들보다 e스포츠에 참여율이 높다는 것을 알 수 있는 결과이다.

이러한 결과를 바탕으로 정부 및 e스포츠 관계자들은 청각 장애인들이 많이 참여하고 있는 것을 인지하여 청각 장애인들을 위한 e스포츠 프로그램을 개발 및 적용해야 될 것으로 판단된다.

청각 장애인들이 e스포츠에 참여하였을 때 보다 재미와 몰입, 오랜 시간 동안 참여유지하기 위해서는 청각에 대한 제약을 해결해야 된다고 판단되는데 해결방안이 바로 동시자막이다.

현재 청각 장애인들을 위한 보편적 자막서비스 및 동시자막서비스에 대한 필요성을 제시한 연구(Choi M, A., Kim S, H., Cho M, A., Park D, Y., Kim Y, H, Yoon J, H, 2020; Kim M, H., Kang H, S, 2016)들이 있어서 자막에 대한 필요성이 지속적으로 주장되어 왔다. 하지만 현실적으로 적용되는 사례와 실생활에서 쉽게 찾아볼 수 없는 것이 현실이다. 이에 본 연구결과를 바탕으로 청각 장애인들에 대한 e스포츠 편의성이 증진되었으면 한다.

둘째, e스포츠에 참여하는 청각 장애인 124명을 대상으로 참여기기 조사결과 스마트폰 57명(38.9%)가 가장 많았으며, 참여종목으로는 카트라이더 41명(33.0%), 마지막으로 e스포츠 참여계기로 친구의 권유로 시작했다는 답변 79명(63.7%)이 가장 많은 것으로 나타났다.

한국컨텐츠진흥원에서 2018년도에 발표한 자료에 따르면 비장애인 500명 중 50.6%가 253명은 스마트폰을 통해 e스포츠에 참여하는 결과로 나타났고, 참여종목으로는 리그오브레전드(49.8%)로 나타났다. 청각 장애인과 비장애인 둘다 스마트폰을 통해 e스포츠에 참여하는 것은 일치하였지만, 참여 종목은 다소 상이하게 나타난 것을 알 수 있다. 이러한 결과는 e스포츠 성향보다는 소통 및 커뮤니케이션에 대한 문제 때문에 종목이 상이하게 나타났다고 판단된다. 카트라이더 경우 짧은 시간안에 순위를 정하고 비교적 간단한 조작이는 반면, 리그오브레전드 같은 경우 긴 시간이 소요되며 수시로

팀원끼리 소통을 통한 전략이 이루어져야 하는 경기인데 청각 장애인이 소통이 원활하지 않을뿐더러 경기운영과 채팅 삽입하는데 오랜 시간이 소요되기 때문에 점차 기피하게 되는 것으로 판단된다.

이러한 문제점을 e스포츠 관계자 및 실무자들은 청각 장애인이 e스포츠에 참여함에 있어서 이러한 불편함을 인지하고 앞서 언급한 동시자막서비스를 도입하여 활용하게 된다면 청각 장애인들이 지각하는 만족도와 자기효능감은 더욱 높아질 것으로 판단되며 더 나아가 e스포츠 활성화에 크게 기여할 것으로 판단된다.

셋째, 청각 장애인이 e스포츠에 참여함에 있어서 불편사항 및 추천의도 분석결과, 청각 장애인에 대한 e스포츠 프로그램(42.7%)과 시설, 장소 부족(31.5%)에 대한 답변이 가장 많은 것으로 나타났으며, e스포츠 추천여부 결과 매우그렇다(7점)라는 답변(43.6%)가 가장 많이 나타나는 것으로 조사되었다. 이는 청각 장애인들이 e스포츠에 대해서는 매우 긍정적으로 지각하여 주변 지인들에게 e스포츠에 대해 매우 추천하겠다고 응답을 하였지만, 실제로 e스포츠에 참여함에 있어서 청각 장애인들을 위한 프로그램 및 장소, 시설이 부족하다고 지각하기에 이러한 결과가 나타난 것으로 판단된다. 이러한 문제점을 정부 및 e스포츠 관계자들은 인식하여 청각 장애인들이 e스포츠 참여함에 있어서 불편사항을 개선해야 할 것으로 판단된다.

현재 장애인들을 위한 장애인e스포츠 경기장은 경기도 안산에 1곳만이 존재하지만 이것도 비장애인들을 위한 경기시설과 비교하기에도 턱 없이 부족한 시설환경이다. 장애인들을 위한 시설 및 프로그램을 더욱 확충하여 청각 장애인 뿐만 아니라 다양한 장애인들이 이용할 수 있는 e스포츠 시설이 존재한다면 불편사항은 충분히 개선되고 장애인 e스포츠 활성화에 크게 기여할 것으로 판단된다.

넷째, e스포츠를 새로운 스포츠로 인정과 참여하지 않는 이유, 마지막으로 향후 참여여부 조사결과 실제 스포츠가 아니라서 답변(80.8%)과 e스포츠에 대해 관심이 없다(32.3%)와 향후 e스포츠에 대해 참여의사가 있다 있다(67.7%)라는 가장 많은 것으로 나타났다.

이러한 결과는 청각 장애인들이 e스포츠에 대해 가지고 있는 인식을 나타내는 결과이기도 하다. e스포츠는 실제로 일어나는 스포츠 체계가 아닌 디지털 플랫폼을 기반으로 가상세계에서 일어나는 새로운 스포츠이다. 사회적 변화에 따라 탄생된 새로운 스포츠이기에 아직 인식에 대한 변화가 없는 청각 장애인들이 존재하는 것은 분명한 사실이다.

하지만 e스포츠는 2018년 자카르타 팔렘방 아시안게임 시범종목으로 채택되고 연이어 2022년 항저우아시안게임에 정식종목으로 새로운 스포츠임은 분명한 사실이다. 이에 정부 및 e스포츠 관계자들은 많은 장애인들에게 이러한 사실을 홍보하고 청각 장애인들이 쉽게 할 수 있는 프로그램 및 e스포츠종목으로 유도한다면 청각 장애인들의 인식은 분명 전환될것으로 판단되고 오히려 적극적으로 참여하여 장애인 e스포츠 발전에 크게 기여할 것으로 판단된다.

다섯 번째, 성별에 따른 e스포츠 인식 및 인정, 참여여부에 대한 차이를 분석한 결과 인식, 인정, 참여여부에 대한 요인들에게 대해서

통계적으로 유의한 차이가 있는 것으로 나타났다. 결과를 세부적으로 살펴보면 청각 장애인 중 여성이 남성보다 평균값이 높다는 것을 알 수 있다. 문항들이 알고 있다 1점, 모른다 2점으로 측정하여 분석한 결과이기에 평균값이 여성이 남성보다 높아 e스포츠에 대해 인식 및 지각하지 못하고 있음을 알 수 있는 결과이기도 하다. 이에 본 연구결과를 바탕으로 남성 청각 장애인들에게는 참여유지 할 수 있는 방안을 제시하고 여성 청각 장애인들에게는 새롭게 참여할 수 있도록 e스포츠 참여유도 방안이 필요할 것으로 판단된다.

흔히 e스포츠는 남성의 전유물로 생각하는 경향이 존재하고 있지만 실제로 장애인e스포츠정식종목에는 여성 청각 장애인들도 쉽게 참여할 수 있고 친근한 닌텐도 wii 종목이 정식종목으로 채택되어 있다. 하지만 이러한 사실이 제대로 홍보 및 인식되지 않아 e스포츠라고 하면 리그오브레전드, 피파온라인, 배틀그라운드 등 이러한 것만 떠오르게 되는데 그러지 않다는 것을 여성 청각 장애인들에게 인식시켜준다면 e스포츠 참여율이 매우 상승될 것으로 판단된다.

V. 결론 및 제언

본 연구는 청각 장애인들을 대상으로 e스포츠 인식조사 및 향후 발전 방향을 제시하는데 그 의의가 있다. 이에 청각 장애인 189명을 모집단으로 선정하였고, 자료처리방법은 SPSS 21.0, Excel 2016을 이용하여 빈도분석, t-test를 실시하여 다음과 같은 결론을 도출하였다.

첫째, 청각 장애인 모집단 189명 중 e스포츠를 67.7%는 인식하고 있는 것으로 나타났으며, 새로운 스포츠 체계로 61.4%는 인정하고 있으며, 그리고 65.6%는 e스포츠에 직,간접 참여하고 있는 것으로 나타났다.

둘째, e스포츠 참여기기로 스마트폰이 가장 많은 것으로 나타났으며, 참여종목은 카트라이더, 참여계기로는 친구의 권유로 시작했다는 답변이 가장 많은 것으로 나타났다.

셋째, e스포츠 참여 도중 가장 불편사항은 청각 장애인에 대한 e스포츠 프로그램 부족이 가장 많은 것으로 나타났으며. e스포츠 추천 여부 조사결과 매우 그렇다(7점)라는 답변이 가장 많이 나타났다.

넷째, e스포츠를 새로운 스포츠로 인정하지 않는 이유로는 실제 스포츠가 아니라서 답변이 가장 많았으며, 참여하지 않는 이유로는 관심이 없다라는 답변이 가장 많은 것으로 나타났으며, 향후 참여 여부 설문 결과 있다 라는 가장 많은 것으로 나타났다.

다섯 번째, 청각 장애인의 e스포츠 인식 및 인정, 참여여부는 성별에 따라 통계적으로 유의한 차이가 나타났다.

본 연구결과를 토대로 제한점과 후속 연구에 대한 제언은 다음과 같다.

첫째, 본 연구는 대한민국 장애유형 중 청각 장애인들을 대상으로 진행하였기에 모든 장애인들로 일반화하기에는 다소 무리가 있다. 따라서 후속연구에서는 다양한 장애유형 간의 e스포츠 인식을 비교하게 된다면 보다 다양한 결과가 도출될 것으로 판단된다.

둘째, 본 연구는 서울, 경기권에 거주하는 청각 장애인들을 대상으로 진행하였기에 전국에 거주하는 청각 장애인들로 일반화하기에는 다소 무리가 있다. 따라서 후속 연구에서는 전국에 거주하는 청각 장애인들로 확장하여 e스포츠 연구를 진행한다면 보다 다채로운 결과를 도출할 수 있을 것으로 판단된다.

2. 빅데이터를 활용한 e스포츠 인식 비교 및 현황에 관한 연구 : COVID-19를 기준으로

Ⅰ. 서 론

e스포츠(electronic Sports)는 가상세계 속에서 스포츠의 본질을 더해져 신체적, 정신적 능력을 활용하여 상대와 승부를 겨루는 스포츠로 정의되고 있다(이상호, 2021). e스포츠의 장점은 대면 스포츠와 다르게 장소 및 시간적 제약을 받지 않고 언제 어디서나 쉽게 참여할 수 있다는 것을 앞세워 대한민국뿐만 아니라 전 세계 대중들이 많이 참여하는 실정이다(최경환, 2022). 이러한 e스포츠 인기를 증명하듯 2022년 5월 부산에서 열리는 MSI(Mid-Season Invitation)를 구경하기 위해 티켓은 1초(292석)만에 매진사태를 보여주었고(조영미, 2022. 05. 08), 통계기업인 뉴주(Newzoo)에 따르면 2022년 전 세계 e스포츠 시장 규모를 10억 8000만 달러(약 1조 3342억)으로 전망된다고 발표하여 전 세계 e스포츠 인기를 알 수 있다(박명기, 2022. 04. 13).

그러나 e스포츠는 다른 전통 스포츠와 다르게 역사가 짧은 편에 속하고 현실이 아닌 가상세계에서 이뤄지는 스포츠이기에 당위성을 확보하기 위해 학문적 토대를 구축하기 위한 연구가 지속적으로 진행 중이다. 이에 이상호, 황옥철(2019)은 21세기 새로운 스포츠이자 스포츠 영역이 확대된 것이 e스포츠라고 주장하였고, 김영선, 이학준(2020)은 e스포츠는 단순하게 즐기는 것으로 끝나는 것이 아닌 세대 소통으로서 활로를 만들어 줄 수 있다고 발표하여 e스포츠가 교육적 측면으로 활용될 수 있음을 주장하였다. 최경환(2022) 역시 e스포츠 참여는 호의적 신념체계 형성과 자기효능감과 같은 사회로 복귀할 수 있는 긍정적 태도를 형성할 수 있다고 발표하여 e스포츠의 이점을 규명하였다. 이와 같이 e스포츠는 단순하게 즐기는 스포츠로서 끝나는 것이 아니라 e스포츠를 통해 소통을 하고 영역을 확대하는 선구자와 같은 역할을 하는 동시에 학문적 영역을 구축하기 위해 다양한 연구(김솔, 2021; 서재열, 2020; 이학준, 황옥철, 김영선, 2020; 최정호, 이제욱, 2019)가 지속적으로 이뤄지고 있어 e스포츠의 활동성 및 중요성이 강조되고 있다.

현재 e스포츠는 이처럼 산업적, 학문적 영역이 빠르게 구축되어 가고 있지만 처음 출발부터 대중들의 인식이 호의적은 아니었다. e스포츠는 과거 게임(Game)으로부터 파생되어 탄생되었으며, 현재까지도 게임과 e스포츠를 구분하지 못하는 많은 사람들이 존재하고 있다. 이러한 가운데 e스포츠의 인식은 2018년 자카르타·팔렘방 아시안게임에 시범종목으로 채택됨으로 대중들의 인식은 게임에서 스포츠로서 점차 바뀌기 시작하였고, 2022년 항저우 아시안게임 정식종목 채택으로 스포츠로서의 이미지와 당위성을 굳혀나가고 있는 실정이다(정영수, 2019).

이러한 맥락에서 e스포츠가 새로운 스포츠로서 자리매김할 수 있게 도와준 것은 바로 지속적인 홍보와 학문적 토대 구축 등 다양한 노력도 크게 작용하였지만, 코로나19와 같은 사회적 변화가 있었기에

보다 빠르게 긍정적인 이미지를 형성할 수 있었다고 판단된다(이정학, 김재혁, 임승재, 2021). 이에 이재우, 이종원, 김효남(2021)은 e스포츠는 코로나19 발병 이후 가장 성장한 스포츠 종목이라 주장하였고, 문원빈(2021. 01. 19) 역시 e스포츠 관심추세가 코로나19 이전보다 이후에 관람객이 더욱 증가하였다고 발표하여 코로나19와 같은 사회적 변화는 e스포츠 발전에 있어 기회를 제공한 것을 알 수 있다.

한편, 한국컨텐츠진흥원(2019)이 발표한 자료에 따르면 코로나19 이전인 2018년도 기준으로 일반인 1,449명을 대상으로 조사한 결과 65.4%에 해당하는 934명은 e스포츠를 인식하고 있는 것으로 나타났고, 최경환, 황옥철(2021)은 포스트 코로나 시대인 2021년 10월에 장애인들을 대상으로 e스포츠 인식을 조사한 결과 309명 중 79.6%에 해당되는 246명은 e스포츠에 대해 알고 있다고 발표하여 e스포츠에 대해 대중들이 많이 인식하고 있음을 알 수 있었다. 이처럼 e스포츠 인식에 관련된 연구(오형근, 서규혁, 2022; 최경환, 2021; 김진희, 임다연, 2021; 윤인애, 2020)가 진행되고 있어 인식에 대한 중요성이 강조되고 있다.

하지만 많은 연구들이 e스포츠에 대한 인식 개선 및 저변 확대를 위해 연구가 지속적으로 진행되고 있지만, 각자 개별 연구에서 인식개선 및 효과를 규명할 뿐 e스포츠에 대한 종합적인 인식 결과를 제시하고 있지 못하고 있다. 이에 본 연구에서는 빅데이터 분석을 활용하여 대중들이 인식하고 있는 e스포츠에 대해 종합적이고 객관적인 결과를 도출하고자 한다.

빅데이터 분석은 일반적인 데이터베이스 소프트웨어로 저장, 관리, 분석할 수 있는 범위를 초과하는 대용량의 데이터크기를 말한다(McKinsey, 2011). 이러한 빅데이터 분석은 작은 용량에서는 얻을 수 없었던 새로운 통찰이나 가치를 추출해 낼 수 있어 소비자들의 인식과 트렌드 파악 그리고 시장흐름 등을 분석하기에 적합한 분석 기법 일뿐만 아니라 새로운 잠재변수를 도출할 수 있다는 장점을 지니고 있다(이정학, 이재문, 김욱기, 김형근, 2017). 이러한 장점을 앞세워 빅데이터와 관련된 연구(이재문, 2021; 한기향, 2021; 장보윤, 왕용덕, 2019; 이정학, 이재문, 이은정, 2017)가 진행되고 있어 다양한 영향 관계를 규명하였다.

현재 우리들은 코로나-19로 인하여 단기간 내에 인식 및 소비패턴이 180도 바뀐 삶을 살아가고 있다. 2년이 지난 현재 코로나-19 이전에는 마스크 없이 생활하던 대중들은 코로나-19 이후 마스크 없이는 어디도 갈 수 없고, 항상 마주 보고 즐기던 모든 것들이 이제는 만나지 않고 집에서 인터넷을 통해 회의를 하고 비대면을 통해 문화 소비 및 쇼핑, 스포츠에 참여하는 시대로 전환되어 살아가고 있다. 이러한 변화는 비대면 스포츠 활성화에 사회적 기회를 제공하였고, e스포츠는 스포츠 중에 유일하게 시대적 기회를 제공받아 호황을 누리는 동시에 스포츠로서의 당위성과 참여를 유도하고 있다.

포스트 코로나 시대에 도래한 현 시점에서 코로나19와 같은 사회적 변화로 만들어진 변화된 e스포츠에 대한 인식연구는 매우 중요한 자료가 되고, 변화된 인식에 대해 향후 발전 방향을 모색하는 연구는 매우 필요하다고 판단된다. 따라서 본 연구는 코로나19 이전과 이후에 대한 e스포츠 인식에 대해 종합적으로 규명하고, e스포츠와 관련된 키워드 도출하여 e스포츠 발전 방안을 제시하는데 의의가 있다.

이러한 연구목적 하에 연구수행을 위한 구체적인 연구 문제는 다음과 같다.

첫째, 코로나19 이전과 이후의 e스포츠에 대한 빈도분석과 TF-IDF, 감성분석을 통해 대중들의 관심과 변화를 알아본다.

둘째, 코로나19 이후의 e스포츠 키워드를 군집분석을 통해 대중들의 관심과 현황 및 발전 방향에 대해 알아본다.

Ⅱ. 연구방법

1. 연구대상

본 연구는 코로나19 이전과 이후 변화된 대중들의 e스포츠 인식을 규명하기 위해 네이버와 구글, 다음을 수집 채널로 선정하였다. 자료 검색을 위한 검색어는 'e스포츠'를 사용하였다. 또한, 자료분석 기간은 코로나19이전은 2017년 1월 1일부터 2019년 12월 31일까지이며, 코로나19 이후인 2020년 1월 1일부터 2022년 4월 30일까지 수집 기간으로 선정하였다. 분석데이터 정보는 <표 10>, <표 11>과 같다.

표 10. 분석데이터 정보

구 분		내 용
수집범위		네이버, 구글, 다음
수집기간	1차	2017년 1월 1일 ~ 2019년 12월 31일
	2차	2020년 1월 1일 ~ 2022년 4월 30일
수집도구		TEXTOM
검색어		e스포츠
분석 기술		텍스트 마이닝, 감성분석, TF-IDF, 군집분석, 빈도분석
분석 도구		Ucinet 6.0, NetDraw

표 11. 데이터 수집 결과

구 분		내 용(건)		
1차	2017년 1월 1일 ~ 2019년 12월 31일	naver	웹	1,500
			블로그	53
			뉴스	926
			카페	590
			지식인	999
			학술정보	1,010
		Daum	웹문서	440
			블로그	685
			뉴스	1,000
			카페	1,000
		Google	웹문서	104
			페이스북	305
2차	2020년 1월 1일 ~ 2022년 4월 30일	naver	웹문서	1,500
			블로그	292
			뉴스	734
			카페	450
			지식인	991
			학술정보	1,010
		Daum	웹문서	610
			블로그	725
			뉴스	1,000
			카페	870
		Google	웹문서	105
			페이스북	313

2. 분석 방법 및 자료처리방법

소셜네트워크를 이용한 빅데이터 분석은 텍스트 속에서 개인 연구에서 찾을 수 없었던 의미 있는 정보들을 발견하고 다른 정보와의 연관성을 파악할 수 있다는 장점으로 여러 분야에서 연구가 이루어지고 있다(정혜정, 오경화, 2016). 현자 가장 많이 사용하고 있는 빅데이터 분석 방법은 크게 텍스트마이닝과 의미 네트워크 분석으로 나뉘는데 본 연구에서 수집된 데이터는 텍스트마이닝(textmining)을 실시 및 UCINET 6.0을 사용하여 네트워크 분석을 실시하였다.

텍스트마이닝이란 인간의 언어로 쓰는 단어들을 대용량의 데이터로부터 처리하는 프로세스를 의미하고(이진우, 2014), 그 단어들 간의 의미있는 패턴과 관계를 파악하고 이를 정형화하는데 자주 사용된다. 또한, 빈도분석, TF_IDF(Term Frequency-Inverse Document Frequency) 등을 분석하여 문서, 포털상에서 자주 언급된 텍스트나 빈도횟수에 따라 중요한 텍스트를 찾아 분석한다. 그러고 본 연구에서는 감성분석을 실시하였다. 감성 분석(sentimental analysis)이란 문장과 문서에서 사용되는 텍스트에 포함된 대중들의 의견이나 태도 혹은 감성을 분석하는 것으로, 감성 사전을 이용하여 감성 어휘에 대한 극성값을 부여해 긍정 혹은 부정을 판단하는 분석 기법을 의미한다(남민지, 이은지, 신주현, 2015).

텍스트마이닝 결과 나타난 상위 50개 단어를 이용하여 의미연결망 분석 및 CONCOR(군집)분석을 실시하였다. CONCOR 분석은 의미

네트워크 분석에서 상호 배타적인 하위 그룹을 발견하기 위해 구조적 등위성에 기초하여 노드(텍스트)를 부분 집합으로 분할하는 것으로(Park & Hoffner, 2020), 분석결과 코로나19 이전과 이후 모두 4개 군집으로 분리되어 나타났다. CONCOR 분석의 군집 설정 딥스(depth)는 '3'로 설정하였으며 그룹 속성기준(Attribute to group by)은 덴드로그램(dendrogram)을 기준으로 '4'로 설정하였다. 분산배치 정도(scrunch factor)는 노드 간의 간격을 의미하는 것으로 숫자로 숫자가 낮으면 군집을 이루지 못하고, 숫자가 높으면 노드가 겹쳐질 수 있어 조정하다.

마지막으로 CONCOR(CONvergent of iterated CORrelation) 분석은 구조적 등위성을 이용하여 네트워크 내의 텍스트들이 유사한 관계를 맺고 있는지를 파악하여 군집으로 구분하는 단어들을 파악함으로써 텍스트 간의 공통된 이슈를 찾을 수 있다는 장점을 가지고 있다(김해원, 및 전채남, 2014).

본 연구는 e스포츠 명사(고유,의존, 일반)로 수집하여 형태소 분석을 실행하였으며,'이스포'는 '이스포츠'로, 'e Sports'는 'eSports'와 같이 정확한 단어로, '쪽', '증', '원'과 같은 의미를 알 수 없는 단어들은 데이터 편집기를 통해 처리작업을 거쳐 정제된 데이터만을 최종 분석에 사용하였다.

따라서 본 연구는 e스포츠에 대한 정제된 데이터를 사용하여 빈도분석과 TF-IDF, 연결 중심성을 확인하였으며, 워드클라우드, 감성분석을 실시하였다. 빈도분석을 통해 도출된 상위 70개 단어를 토대로 UCINET6.0을 사용하였으며, 유사한 단어 간의 군집을 도출하는 CONCOR(CONvergence of iteration CORrealtion) 분석을 실시하였다. 그리고 네트워크 분석과 CONCOR분석 결과는 NetDraw를 사용하여 시각화하였다.

Ⅲ. 연구결과

1. 텍스트마이닝 분석결과

1) 빈도분석 및 TF-IDF, 워드클라우드

빈도분석 및 TF-IDF, 워드클라우드 결과는 <그림 27>, <표 12>과 같다. 분석결과 코로나19 이전에는 'e스포츠(3501)' 키워드가 가장 많은 빈도를 차지하는 것으로 나타났고, 이후로는 '게임(1996)', '대회(1043)','한국(658)'순으로 나타났다. 코로나19 이후로 역시'e스포츠(23,672)'에 대한 빈도수가 가장 많은 것으로 나타났고, 두 번째 '게임(4,422)'다음으로는 한국(2919), 대회(2673), 산업(1661) 순으로 나타났다. TF-IDF 분석결과 코로나19 이전 'e스포츠(3257.93)'가 가장 높은 것으로 나타났고, 게임(2760.34), 대회(2094.44), 한국(1502.77), 리그(1433.30) 순으로 나타나 빈도분석과 같은 결과임을 알 수 있었다. 코로나19 이후 결과는 'e스포츠(5050.95)'가장 높은 것으로 나타났으며, 게임(4525.98), 대회(4406.23), 한국(3452.96) 순으로 나타나 코로나19 이전과 비슷한 것을 알 수 있다.

표 12. 빈도분석 및 TF-IDF, 연결중심성 결과

1차				
순위	키워드	빈도	TF-IDF	연결중심선
1	e스포츠	3501	3257.93	104.78[1]
2	게임	1996	2760.34	63.84[2]
3	대회	1043	2094.44	38.86[3]
4	한국	65	1502.77	28.28[4]
5	리그	577	1433.30	25.59[5]
6	경기	522	1391.59	15.54[8]
7	선수	437	1215.30	14.46[12]
8	글로벌	382	1172.12	16.74[6]
9	온라인	366	1149.21	15.85[7]
10	공식	328	1142.54	13.33[14]
11	슈퍼레이스	314	1035.99	14.50[13]
12	국내	312	1002.07	14.95[11]
13	챔피언	307	995.24	15.00[10]
14	리그오브	305	958.29	15.11[9]
15	챔피언십	291	926.77	12.83[15]

하지만 코로나19 이전과 이후가 다른 키워드를 보이는 것은 5순위부터 바뀌게 된다. 코로나19 이전의 e스포츠 키워드는 프로게이머 또는 산업에 비중이 맞춰졌다고 하면 코로나19 이후에는 산업분야를 포함한 학문,문화, 글로벌, 코로나에 대한 키워드가 등장하여 코로나19 이전 키워드와 약간 다른 결과로 나타나게 되었다.

2차				
순위	키워드	빈도수	TF-IDF	연결중심선
1	e스포츠	23,672	5050.95	953.19[1]
2	게임	4422	4525.98	237.08[2]
3	한국	2919	4406.23	220.22[3]
4	대회	2673	3896.55	131.82[4]
5	산업	1661	3452.96	106.15[6]
6	협회	1643	3238.41	127.92[5]
7	문화	1241	3001.42	63.65[11]
8	연구	1221	2990.05	42.60[15]
9	선수	1082	2978.74	47.16[14]
10	중국	1041	2967.81	60.71[12]
11	경성	1001	2615.21	92.70[7]
12	온라인	964	2587.73	72.68[8]
13	리그오브	938	2570.22	69.16[9]
14	글로벌	935	2505.96	52.49[13]
15	코로나	896	2316.38	67.43[10]

1차 워드클라우드 2차 워드클라우드

<그림 27>. 코로나19 전·후 워드클라우드

2) 감성 분석

감성 분석결과 <그림 28>,<표 13>과 같다. e스포츠에 대한 감성 분석은 코로나-19 이전과 이후 모두 긍정적인 비율이 높게 나타난 것을 알 수 있다. 결과를 세부적으로 살펴보면 코로나-19이전의 긍정적 비율은 83.37%로 '좋다(19.47%)'로 나타났으며 그 다음으로는 추천, 현대적, 새롭다 등 긍정적 단어로 나타났다. 반대로 부정 비율은 16.63%로 '힘들다(.092)'라는 비율이 가장 높았다고, 다음으로는 밉다, 어렵다, 안좋다 등 순서로 나타났다. 또한, 코로나19 이후의 감성분석 결과 코로나19 이전과 동일하게 긍정의 비율이 높은 것으로 나타났다. 긍정 비율이 84.21%이며 긍정 단어로는 '추천(18.8%)'이 가장 높은 것으로 나타났다. 다음으로는 성장하다, 모던하다, 기대하다, 만족하다 등 긍정적 단어 순으로 나타났다. 반대로 부정단어로는 '난해하다(3.05%)' 가장 높았으며 다음으로는 공포스럽다, 어렵다, 혐오하다, 권위적이라는 단어로 나타났다.

표 13. 감성분석 결과

1차 (총 2,923)			
긍정 2437/ 83.37%		부정 486/ 16.63%	
긍정단어	빈도(%)	부정단어	빈도(%)
좋다	19.47	힘들다	.092
추천	9.24	밉다	.082
현대적	5.85	어렵다	.079
새롭다	4.04	안좋다	.079
최고다	3.97	부족하다	.079

2차 (총 2,292)			
긍정 1930/ 84.21%		부정 362/ 15.79%	
긍정단어	빈도(%)	부정단어	빈도(%)
추천	18.8	난해하다	3.05
성장하다	17.32	공포스럽다	3.01
모던하다	8.25	어렵다	2.92
기대하다	7.5	혐오하다	1.09
만족하다	6.02	권위적	0.57

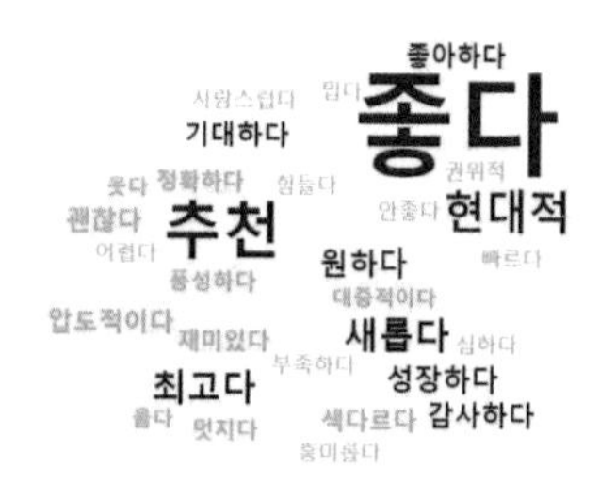

1차 감성단어 클라우드

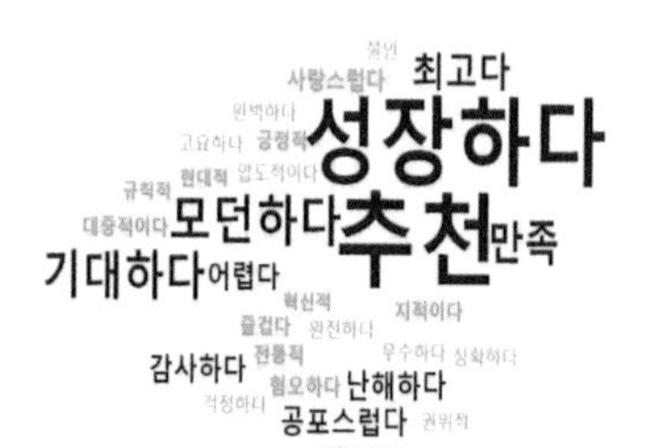

2차 감성단어 클라우드

<그림 28>. 코로나19전·후 감성단어클라우드

2. 네트워크 분석결과

코로나19 이전과 이후에 대한 군집 분석 결과는 <그림 29>, <표 14>와 같다.

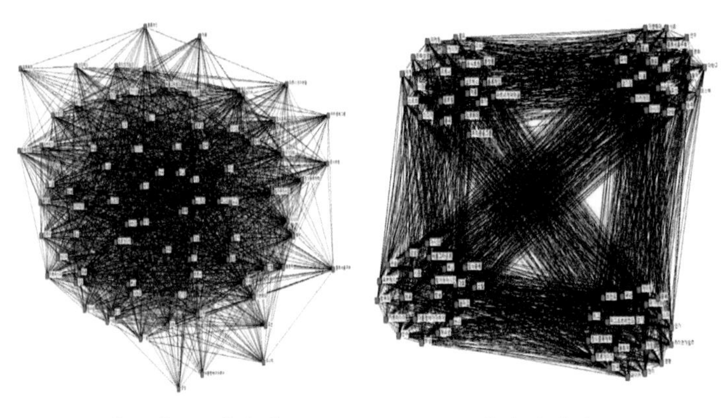

네트워크 시각화　　　　　　　　군집분석결과

<그림 29>. 네트워크 분석 및 군집분석 결과

코로나19 이후 e스포츠에 대한 군집 1은 e스포츠, 경기장, 대전, 대학교, 포스텍, 연구, 문화와 같이 e스포츠에 관련된 시설 및 연구와 관련된 키워드로 구성되어 있어 'e스포츠 시설 및 연구'로 명명하였다. 군집 2는 리그오브레전드, 게임, 올림픽, 한국, 국가대표, 경기, 게이밍, 정식종목채택, 페이커, 젠지 등 프로게이머와 국제 경기에서 이뤄지는 키워드로 구성되어 있어 '프로게이머'라고 명명하였다. 군집 3은 청소년, 학생, 대통령배아마추어, 선수 등 국내 아마추

어 e스포츠를 뜻하는 키워드로 구성되어 있어 '아마추어e스포츠'라고 명명하였다. 마지막 군집 4는 글로벌, 중국, 우리금융그룹, 투자, 파트너계약체결, 마케팅 등 산업적인 키워드로 구성되어 있어 'e스포츠 산업'이라고 명명하였다.

표 14. 군집분석 결과

2차 (2020년 1월 1일 ~ 2022년 4월 30일)	
그룹	단어
e스포츠 시설 및 연구	e스포츠, 산업. 협회, 콜로세움구축, 문화, 연구, 대학교, 협약, 포스텍, 광주, 대학, 아시아, 아카데미, 시설, 경기장, 국제, 대전, 중심, 저변확대
프로게이머	리그오브레전드, 게임, 경기, 국내, 게이밍, 국가대표, 종목, 스타, 인기. 라이엇게임즈, 영향, 젠지, 페이커, 한국, 올림픽, 프로게이머, 정식종목채택, 리그, 브랜드
아마추어 e스포츠	항저우아시안, 대회, 부산, 배틀그라운드, 아시안, 정식종목, 선발, 온라인, 뉴스, 청소년, 학생, 대통령배아마추어, 선수, 카트라이더, 체육, 컴퓨터, 오버워치, 우승, 경성, 시즌
e스포츠 산업	코로나, 글로벌, 중국, 암호화폐, 우리금융그룹, 투자, 제품, 샌드박스, 공식후원, 미래, 플랫폼, 블록체인, 파트너계약체결, 게이머, 월드, 마케팅, 한화생명, 세계, 시장, 스포츠, 미디어

Ⅳ. 논의

본 연구는 코로나19와 같은 사회적 변화에 따라 e스포츠 인식 변화에 대한 영향을 규명하기 위해 빅데이터 분석을 실시하였으며, 다음과 같이 논의하고자 한다.

1. 빈도분석 및 TF-IDF

빈도분석 및 TF-IDF 분석 결과 코로나19 이전과 이후 모두 'e스포츠' 빈도 수가 가장 높은 것을 알 수 있었고, 그 다음으로는 '게임' 으로 동일하게 나타났다. 하지만 빈도분석 및 TF-IDF 분석 결과에서 가장 큰 변화는 빈도 순위는 동일하지만 대중들이 e스포츠 단어 검색량은 코로나19 이전보다 6배 이상 높아진 것을 알 수 있었다. 또한, e스포츠 관련 키워드들이 코로나19 이전에는 프로게이머, 글로벌 등 산업적인 단어와 경기에 관련된 내용이 지배적이였다면, 코로나19 이후에는 산업관련 분야를 넘어서 연구, 문화, 글로벌 등 학문, 문화분야까지 확산되어 대중들에게 알려져 e스포츠의 관심 분야가 점차 다양해지고 있음을 알 수 있었다.

과거 선행연구에서 이승훈(2019)는 현재 대중들이 지각하는 e스포츠는 산업적인 측면으로 너무 편중되어 e스포츠의 다양성이 필요하다고 주장하였는데, 이를 반영하듯 빅데이터를 통해 본 결과는 코로나19 이전보다 e스포츠 주제가 다양해진 것을 알 수 있는 결과이기도 하다. 또한, e스포츠 감성분석 결과 코로나19 이전과 이후 모두 동일하게 긍정적인 단어가 도출되었음을 알 수 있었다. 결과를 세부적으로 살펴보면 코로나19 이전에는 e스포츠에 대해'좋다'라는 단어가 많이 노출되었다면, 코로나19 이후에는 '추천'이라는 단어가 가장 많은 것으로 나타났다. 추천이라는 단어는 개인이 직접 경험을 바탕으로 긍정적인 신념체계를 형성한 후 타인에게 소개하는 것을 뜻하는데, 그만큼 e스포츠에 대해 많은 대중들은 접하고 체험했다는 것을 알 수 있고, 긍정적인 태도 및 신념을 가지고 다른 타인에게 e스포츠를 추천하였기에 이와 같은 감성단어가 나타난 것으로 판단된다. 더불어 추천 단어 뒤로 '성장하다'라는 단어가 2위를 기록하였는데 이 단어의 의미는 e스포츠가 코로나19 이전에 비해 시스템 구축 및 안정화, 그래픽, e스포츠 제도화, 대중들의 인식 등 다양한 의미로 성장하였다는 것을 나타내는 것으로 판단된다.

이에 본 연구결과를 바탕으로 e스포츠 관계자 및 실무, 연구자들은 코로나19와 같은 사회적 변화로 인하여 대중들이 지각하는 e스포츠 인식이 변화하고 있음을 지각하고 e스포츠가 더욱 새로운 스포츠로서 긍정적인 이미지 형성과 다양성을 넓히기 위해 극대화 할 수 있는 방안이 강구되어야 할 것이다. 항저우아시안게임을 발판으로 e스포츠는 더욱 비상할 것이고 새로운 스포츠 체계로서 확실하게 자리매김할 것으로 판단된다.

이러한 점을 바탕으로 e스포츠는 게임과 경계를 구분지어야 하고, 너무 산업적인 측면만 발달되는 것이 아닌 학문적, 문화적 등 다양한 분야가 골고루 발전되어야 대중들이 인식하는 e스포츠는 호의적으로 작용할 것으로 판단된다.

2. CONCOR 분석

코로나19 이후 대중들이 지각하고 있는 e스포츠에 대한 인식 변화를 알아보기 위해 군집한 분석 결과 4개의 군집으로 분리되었고 논의는 다음과 같다.

1) e스포츠 시설 및 연구

e스포츠 시설 및 연구 요인에서‘e스포츠’,‘콜로세움구축’, ‘연구’, ‘경기장’,‘문화’,‘대학교’ 등 e스포츠 시설 및 연구에 관련된 단어가 추출되었다. 이를 통해 코로나19로 이후로 대중들이 지각하는 e스포츠는 산업적인 분야도 성장하였지만, e스포츠 연구, e스포츠 대학교, e스포츠 경기장 등 학업, 학문, 경기장과 같은 다양한 분야에도 대중들이 관심을 가지고 있는 것을 알 수 있었다.
이에 최예지(2021. 02. 04)는 최근 e스포츠 전공자들의 수요가 많아짐에 따라 e스포츠 관련 취업 및 학문에 관심이 많아지고 있다고 주장하였으며, 장충호(2022. 05. 17) 역시 e스포츠는 산업 분야 뿐만 아니라 점차 다양한 장르로 발전하고 있다고 발표하여 본 연구 결과를 일부 지지해주고 있다.
e스포츠는 분명 코로나19와 같은 사회적 변화에 따른 기회를 제공받아 다양한 이점을 얻은 것은 분명한 사실이다. 비대면 스포츠라

는 소비패턴을 코로나19로 인하여 시기적으로 앞당길 수 있었고, 비대면을 통해 만나지 않고도 스포츠 소비를 할 수 있다는 인식 개선에 도움을 받기도 하였다. 하지만 여러 학자들이 e스포츠가 너무 산업 분야에만 편향(최경환, 황옥철, 2021)되어 있다는 꾸준한 지적에 정부 및 관계기관, 연구소들은 e스포츠가 학문적으로도 영역을 구축할 수 있게 노력하여 왔기에 이러한 결과가 종합적으로 나타난 것으로 판단된다. 이러한 본 결과를 바탕으로 e스포츠가 산업 분야에만 편중되는 것이 아닌 경기장, 시설, 학교, 학문, 취업, 복지 등 다양한 분야가 골고루 발전될 수 있도록 연구하고 방안이 강구되어야 할 것이다.

2) 프로게이머

프로게이머 요인에서 리그오브레전드, 게이밍, 국가대표, 종목, 스타, 인기, 젠지, 라이엇게임즈, 페이커, 프로게이머 등 프로게이머에 관련된 단어로 이루어졌다. 이러한 결과는 프로게이머에 관련된 분야들이 e스포츠의 한 분야로 인식되고 대중들의 관심이 증폭하면서 관련 단어들을 검색 및 시청하는 행동으로 나타나게 되어 이러한 결과로 나타난 것으로 판단된다. 프로게이머는 e스포츠 이전의 단어로 불러던 프로게임일 당시에도 존재하던 단어였지만, 최근 코로나-19와 같은 사회적 변화에 따라 비대면 스포츠로 한층 주목을 받았고(첸항, 김동환, 2022), 2022 항저우 아시안게임 정식종목 채택으로 인해 더욱 인기가 상승하였고, 스타반열에 올라 새로운 브랜드를 창출하고 있는 것이다.
이에 대중들이 프로게이머를 e스포츠 한 분야로 인식하고 있음을 인지하고 프로게이머 육성 및 프로리그를 위한 방안이 강구되어야 할 것으로 판단된다. 현재 프로게이머는 극소수에 불과하고 양성하는 교육기관에 정해지지도 않고 있다. 다만 사설교육기관 및 개인적 연습으로 인해 프로게이머 테스트를 통과하는 수준에 멈춰있는데 이러한 과정은 얼마 지나지 않아 프로게이머 질을 낮추는 지름길이 될 것이 자명하다.
현재 프로게이머 인기를 바라보고 또는 스타를 꿈꾸고 제대로 된 교육을 받지 않고 너무 플레이에 치중된다던가, 정신적 코칭을 받지 않고 기술에만 편중되어 양성하게 되면 인기가 오래가지 않을 가능성이 농후하다. 이러한 잘못된 프로게이머 양성과정을 방지하기 위해 정부가 주관하는 중앙교육기관을 설치하고 수준높은 양성과정을 거쳐 프로게이머로 발탁이 된다면 보다 수준 높은 경기를 보여줄 수 있고 e스포츠의 인식 역시 상승될 것으로 판단된다.

3) 아마추어 e스포츠

아마추어 e스포츠 요인에서 청소년, 학생, 대통령배아마추어, 선수, 체육, 컴퓨터, 경성, 시즌 등 생활체육 및 아마추어를 지향하는 e스포츠로 이루어졌다. 이러한 결과는 e스포츠가 프로게이머에만 치중되는 것이 아닌 생활체육에 해당하는 아마추어 e스포츠가 활성화가 되고 있음을 시사하는 바이며, 수 많은 아마추어 e스포츠에 관련된 데이터가 축적되고 있기에 군집형성이 되고 이러한 결과로 나타난 것으로 판단된다. 이에 연찬모(2021. 01. 07)는 e스포츠 관련 기업들은 아마추어 e스포츠 활성화에 앞장서야 한다고 주장하였으며, 박예진(2022. 01. 11) 역시 e스포츠가 성공하기 위해서는 아마추어 리그가 활성화되어야 한다고 발표하였는데 이를 반영하듯 대중들의 관심이 늘어나고 있음을 알 수 있었다.

이에 아마추어 e스포츠를 발전하기 위해서는 프로 e스포츠에 편중되는 것이 아닌 생활체육과 같은 개념으로 누구나 쉽게 참여하고 진입장벽이 쉽다는 이미지를 형성하고 교육부 및 정부에서 앞장서 아마추어 e스포츠 활성화에 앞장서야 할 것으로 판단된다. 최정혜, 방승호(2021)는 e스포츠 온라인 수련활동은 청소년들에게 과몰입 해소 및 다양한 이점이 있다는 사실을 규명하여 e스포츠가 교육적 측면으로도 효과성이 있음을 입증하였다. 또한, 김솔(2021) 역시 e스포츠는 스포츠로서의 가치와 교육적 의미로서 초등교육 현장에서 적용되고 있어야 한다고 주장하여 생활체육 개념적인 e스포츠 활성화를 주장하였다.

본 연구결과를 바탕으로 정부 및 교육부는 e스포츠 생활체육의 활성가능성 및 중요성을 인지하고 적극적인 활용방안과 참여를 유도하여 e스포츠 인식 개선 및 참여유도를 해야 할 것으로 판단된다.

4) e스포츠 산업

e스포츠 산업 요인에서 코로나, 글로벌, 암호화폐, 투자, 파트너게

약체결, 공식후원, 마케팅, 제품, 샌드박스 등 산업에 관련된 단어들로 이루어져 있다. 이에 유두호, 최정윤(2022)은 e스포츠는 산업적으로 꾸준하게 발전하고 있다고 주장하였고, 고문순(2022. 05. 09)는 e스포츠 산업은 MZ세대를 중심으로 급성장하고 있다고 주장하여 본 연구결과를 지지해주고 있다.

최근 코로나19는 단시간 내에 우리들의 패턴을 180도 변화시켰고, 2년이 지난 현시점에서는 오히려 대면보다 비대면이 익숙하게 느껴지기도 하고 있다. 코로나19와 같은 사회적 변화에 따라 비대면 스포츠가 발전한 면도 있지만, 또 하나의 이점으로 암호화폐 산업이 급속도로 발전하였다는 것이다(이상우, 2022. 05. 02). 그런데 이 두 산업이 만나 파트너십을 체결함에 따라 MZ세대에게 어필하고 있다.

최근 바이비트 거래소는 e스포츠 팀인 NAVI와 파트너쉽을 체결함에 따라 바이비트 코인 브랜드를 대중들에게 널리 알리는 홍보 효과를 불러 일으켰고(전찬민, 2021. 10. 13), 국내 게임회사인 넥슨은 비트코인 약 1억달러를 매수하기도 하여 암호화폐 산업에 전면적으로 뛰어들기도 하였다. 이처럼 e스포츠 산업은 단순하게 스폰서쉽, 광고, 파트너쉽, 마케팅에서 끝나는 것이 아닌 다양한 분야의 융합으로 계속 진화하고 있으며 영역이 점차 확대되고 있음을 알 수 있었다.

이러한 결과에 따라 e스포츠 산업이 더욱 진화하고 다양한 성장을 하기 위해서는 여러가지 방안이 강구되어야 할 것으로 판단된다. 먼저 e스포츠 공식 파트너쉽을 통한 전통적인 마케팅 활동을 통해 대중들에게 기업 홍보 및 e스포츠 발전의 기틀을 마련해야 할 것이다. 현재 e스포츠 분야에서는 주로 스폰서쉽을 통해 마케팅활동을 하고 있는데, 아쉽게도 다른 스포츠 분야에 비해 미약한 것이 사실이다. 예를 들어 손흥민 선수가 속해있는 토트넘의 경우 공식 스폰서쉽 뿐만 아니라 선수보증광고, 라이센싱, 머천다이징, CSR(Corporate Social Responsibility)활동 등으로 대중들에게 토트넘이라는 구단을 홍보하고 있으며 수익을 창출하고 있다. e스포츠 분야에서도 산업 발전을 위해서 다양한 활동과 방안을 강구한다면 e스포츠 산업은 더욱 성장할 것으로 판단된다. 두 번째로 가상화폐 또는 NFT(Non-Fungible Token)와 같은 가상자산에 관련된 산업 활동을 지속적으로 해야 할 것으로 판단된다.

벌써 수 많은 기업들은 가상자산 기업들과 업무협약을 맺고 e스포츠 스폰서십, 선수지원을 하고 있다. e스포츠는 인터넷을 통한 경기이기 때문에 눈에 보이지 않는 가상자산과 가장 어울리는 스포츠이기도 하다. 이러한 점을 앞세워 젊은 세대들에게 e스포츠 인식을 개선하기 위해서는 전통 마케팅활동도 중요하지만 새로운 트렌드에 맞는 다양한 마케팅 활동을 지속적으로 한다면 대중들이 인식하는 e스포츠는 호의적으로 작용할 것이다.

Ⅳ. 결론

본 연구는 코로나19(COVID-19)이전과 이후의 변화된 e스포츠 인식에 대해 규명하였으며, 소셜 빅데이터를 이용하였다. 텍스톰(Textom) 6.0을 사용하였으며 네이버, 구글, 다음에서 데이터를 수집하였다. 텍스트 마이닝 분석 기법을 통해 빈도분석, 연결 중심성, 감성단어, TF-IDF, 네트워크분석, 군집(CONCOR)분석을 실시하였다. 결과를 바탕으로 다음과 같은 결론을 도출하였다.

첫째, 빈도분석 결과 'e스포츠'에 대한 빈도가 코로나19와 관계없이 가장 높게 나타났으며, 두 번째 역시 '게임'으로 나타났다. 하지만 코로나19 이전의 e스포츠 빈도수는 3501인 반면에 코로나19 이후의 빈도는 23,672로 6배가 넘는 차이가 나타났음을 알 수 있다. 그만큼 e스포츠에 대한 관심이 증가했음을 나타내는 결과이다. 그리고 TF-IDF과 빈도분석 5위 안에는 크게 차이가 없는 것을 알 수 있었고, 단어 감성 분석 결과 역시 모두 긍정의 비율이 높게 나타났다.

둘째, 군집 분석 결과 'e스포츠 시설 및 연구', '프로게이머','아마추어','e스포츠산업'이라는 대그룹 4개로 분류되었다. 이를 바탕으로 계획적 전략을 수립하여 보다 효과적인 활동을 펼친다면 e스포츠는 다양한 방면으로 성장할 수 있을 것으로 판단된다.

마지막으로 본 연구의 제한점을 토대로 후속 연구에 대한 방향을 다음과 같이 제언하고자 한다.

첫째, 본 연구는 코로나19 이전과 이후에 대한 인식을 비교하기 위해 2017년 1월 1일 ~ 2019년 12월 31일과 2020년 1월 1일 ~ 2022년 4월 30일까지 데이터를 수집하였기 때문에 2017년 이전의 e스포츠에 대한 인식을 파악하지 못하였다. 후속연구에서는 오랜

기간을 설정하여 e스포츠 인식을 비교한다면 보다 다양한 결과가 도출될 것으로 판단된다.

둘째, 본 연구는 데이터 수집을 통해 e스포츠 인식을 비교하였지만 대중들의 심층적인 내용을 추가하지 못하였다. 후속연구에서는 데이터 수집과 함께 심층적인 인터뷰, 면담 등과 같은 질적 연구가 동시에 이루어 진다면 보다 의미 있는 연구가 될 것으로 판단된다.

3. 지체장애인의 스포츠 가상현실(VR)체험 전·후 스포츠 태도와 관여도에 대한 차이분석

Ⅰ. 서 론

현재 대한민국의 스포츠는 장애인과 비장애인의 구분 없는 대국민 스포츠 통합을 지향하며 지속적으로 발전해 나가고 있다(송형석, 2011). 이는 21세기 스포츠 통합시대에 걸맞는 서비스 환경을 구축하여, 장애인과 비장애인들의 구분없는 경기 관람, 스포츠 이벤트장 방문, 스포츠 관광, 스포츠 용품 소비 등을 구현하며 장애인 스포츠 패러다임의 새로운 전환점을 맞이하고 있다(최의열, 2020).

장애인에 대한 정의는 신체적 또는 정신적 장애로 일상생활이나 사회생활에서 제약을 받는 자로 정의하고 있는데(Catts, 1989), 장애인복지법에 따른 장애유형은 15개로 분류되고, 지체장애인의 범주하에 있는 척수장애인은 척수손상으로 인하여 신체와 두뇌 사이의 주요 신경 계통 통로가 끊어져 손상 부위 아래의 운동기능과 감각기능에 장애가 있는 것을 의미한다(Ministry of Health & Welfare, 2017).

국내 척수장애인은 약 6만 명에 이르는 것으로 보고되고 있으며, 매년 약 2천명 정도 증가하는 것으로 보고되고 있다(통계청, 2019). 척수 장애인은 일상생활을 하는데 있어 휠체어를 사용해야 하기 때문에 활동에 많은 제약이 따르게 되며(이용민, 권오정,

2020), 같은 연령대에 비해 근력, 유연성, 지구력 등의 체력이 저하되어 있으므로(Buffart, 2008), 장애부위의 기능저하 예방 및 근력강화와 장애능력 회복의 치료적 효과를 기대할 수 있는 스포츠 참여가 더욱 필요하다(김인애. 김동만, 한민규, 2010).

그러나 이러한 필요성에도 불구하고 척수 장애인들의 스포츠 활동 참여는 휠체어 사용으로 인한 제한된 신체 움직임과 이동의 어려움, 그리고 휠체어 장애인에 대한 불편한 시선 등이 척수장애인들의 스포츠활동 참여를 더욱 소극적으로 만들고 있는 실정이다(강선영, 2014). 이에 대국민 스포츠 통합을 지향하며 통합 서비스 환경 구축을 위해 장애인들의 적극적 스포츠 참여와 종목의 관심, 장애인 소비시장 활성화를 위해 다양한 제안(이정학, 최경환, 이은정, 김민준, 2020) 이 제시 되고 있는 가운데 대안으로 급부상하고 있는 방안이 스포츠 가상현실(VR)이다.

가상현실(VR; Virtual Reality)이란 4차 산업혁명 속에서 만들어진 가상의 세계로 실제 사람과 같은 체험을 할 수 있도록 돕는 최첨단 기술로(탁광우, 2020), 현실 세계에서 얻을 수 없는 다양한 경험 및 신체의 오감을 자극하여 실제성을 높여주고 있다(조우련, 2012). 이에 스포츠 종목과 가상현실 기술을 융합한 스포츠 관련 산업은 단기간에 빠르게 성장하고 있으며, 새로운 형태의 콘텐츠형 스포츠 활동이 생겨나고 있다(이제욱, 박성제, 2018). 특히, 가상현실을 기반으로 하는 스포츠 게임은 흥미와 재미라는 요소와 시뮬레이션(simulation), 몰입(immersion) 등 기술적, 인지적 수준의 요소들을 포괄하며(강승애, 2013), 스포츠 장비와 시설 없이도 스포츠 활동을 경험할 수 있어 스포츠 관련 소비 및 지각 방식을 변화시키고 있다(장경로, 한광민, 김태희, 2019). 이처럼 가상현실의 스포츠 종목은 골프(스크린), 탁구, 육상, 양궁, 테니스, 야구, 카누 등 다양한 가상현실 스포츠 콘텐츠가 출시되어 있다(김종필, 김공, 이현정, 김옥주, 2018). 또한, 헤드셋 등 간편한 장비가 개발 및 출시되어 시공간적 제약을 극복하고, 참여 스포츠의 기회를 넓혀주고 새로운 재미를 선사하고 있다(이은정, 2020).

이러한 가운데 비장애인의 가상현실을 이용한 스포츠 체험을 넘어 스포츠 참여활동이 어려운 장애인들에게 확대하려는 노력이 시도되고 있다(강유석, 이계영, 2015). 스포츠 가상현실(VR)에 참여하는 장애인들은 부상의 위험에 대한 걱정 없이 새로운 활동 및 운동기술을 연습할 수 있으며(조우련, 박은애, 2013), 참여 도중 쉽게 재미와 즐거움 등 다양한 감정반응을 이끌어 낼 수 있기 때문이다(강선영, 2015).

또한, 현재 신종 코로나19 바이러스 사태로 인한 경기침체(연합뉴스, 2020, 07, 23), 감염인구증가와 사회적 거리두기, 집합금지 명령에 따라 비대면 스포츠와 홈트레이닝 등 혼자(개인) 즐길 수 있는 스포츠가 각광받고 있는데(스마트 경제, 2020, 06, 28), 사회적 거리두기가 시행중인 현 시점에 스포츠 가상현실(VR)참여는 장애인들에게 새로운 스포츠 참여의 장을 마련하고 신체능력유지 및 IT 스포츠를 통한 스포츠 통합 서비스 구축을 위한 촉매역할을 할 것으로 기대된다(이희지, 조광민, 2019).

이러한 맥락에서 장애인들과 가상현실에 대한 선행연구들을 살펴보면 강유석(2011)의 연구에서는 뇌성마비 학생들을 대상으로 가상현실을 이용한 신체활동 프로그램이 장애인 재활에 긍정적인 영향을 미쳤다고 주장하였고, 홍원표(2019)의 연구에서는 지체장애인의 가상현실 스포츠 참여가 수용의도에 긍정적 영향을 미친다고 주장하였다. 마지막으로 유연호(2017)의 연구에서도 가상현실 스포츠 참여는 장애인들의 스포츠 몰입에 영향을 미친다고 주장하였다. 이처럼 장애인들과 스포츠 가상현실(VR)참여에 관한(이경훈, 김주영, 유재현, 2020; 박다솔, 신가인, 우예신, 박혜연, 2018; 정재식, 2016; 김미정, 2015)연구들이 꾸준히 진행되어 그 중요성이 강조되고 있다.

하지만 대부분 가상현실을 적용한 연구들은 대부분 신체활동에 대한 연구, 운동수행능력향상에 관한 연구, 장애인식에 관한 연구가 대다수이며 스포츠 가상현실 체험을 통한 장애인들의 스포츠 관여도 및 태도, 몰입 등 심리적으로 지각하는 요소들로 인한 실질적인 스포츠 참여유도 방안에 관한 연구는 다소 미흡한 실정이다.

이에 본 연구는 지체(척수)장애인들을 대상으로 스포츠 가상현실 체험이 스포츠 태도 및 관여도에 대한 차이를 분석하여, 스포츠 태도와 관여도에 대한 긍정적인 효과와 지체장애인들을 위한 스포츠 가상현실의 효과적인 참여, 활동, 경험을 위한 기초자료를 제공하고자 한다.

이러한 연구목적 하에 연구 수행을 위한 구체적 연구문제는 다음과 같다.

첫째. 지체(척수)장애인의 스포츠 가상현실 체험 후 성별에 따른 스포츠 태도, 관여도에 차이가 있을 것이다.
둘째, 지체(척수)장애인의 스포츠 가상현실 체험 후 연령에 따른 스포츠 태도, 관여도에 차이가 있을 것이다.
셋째, 지체(척수)장애인들의 스포츠 가상현실 체험 사전, 사후 스포츠 태도에 차이가 있을 것이다.
넷째, 지체(척수)장애인들의 스포츠 가상현실 체험 사전, 사후 관여도에 차이가 있을 것이다.

Ⅱ. 연구방법

1. 연구대상

본 연구는 2020년 7월1일부터 8월 17일까지 지체장애인 분류 중 척수 장애인(휠체어)을 모집단으로 선정하였으며, 35명에게 연구의 취지를 잘 설명하고 실험을 진행하였고 사전·사후 설문지를 배포하였다. 회수한 설문지 중 불성실한 4부를 제외한 31부를 분석에 사용하였으며, 연구 대상자의 일반적 특성은 <표 15>와 같다. 참여자의 성별을 살펴보면 남자 17명(54.8%), 여자 14명(45.2%)으로 남자 비율이 높았으며, 연령은 50대이상 12명(38.7%), 40대 10명(32.3%), 20대 5명(16.1%), 30대 4명(12.9%)으로 순으로 나타났다.

표 15. 연구대상의 인구통계학적 특성

구 분	내 용	인원(명)	빈도(%)
성 별	남	17	54.8
	여	14	45.2
연 령	20대	5	16.1
	30대	4	12.9
	40대	10	32.3
	50대이상	12	38.7
합 계		31	100

2. 조사도구

연구의 변수들은 관여도, 스포츠 태도로 총 2개변수로 구성하였으며, 모든 문항은 전혀 그렇지 않다(1)에서 매우그렇다(7)의 7점 Likert 척도로 측정하였다.

설문문항 구성을 위해 스포츠 태도는 박채호(2011), 김인호, 석강훈(2018)의 연구, 관여도는 Zaichkoway(1985)가 개발하고 양영종(2011), 김화진, 정양미(2013)의 연구에서 사용된 문항을 본 연구에 맞게 수정 및 보완하여 사용하였다. 따라서 본 연구에서 최종적으로 사용된 문항은 인구통계학적 문항 2문항, 스포츠 태도 관련 9문항, 관여도 관련 5문항 총 16문항이 사용되었다.

3. 실험설계

본 연구는 실험연구의 특성상 다수 인원을 동시에 실험을 진행할 수 없어 2020년 7월 1일부터 8월 17일까지 6차례 실험을 진행하였다. 실험연구 전 모든 참여자들에게 연구에 대한 내용과 목적을 충분히 설명하고 실험을 진행하였다. 지체(척수)장애인의 실험 경우 새로운 환경에서 진행할 경우 이동의 불편함과 익숙하지 않은 긴장감 등 부담감을 가질 수 있으므로 연구 대상자의 거주지역을 중심으로 최대한 익숙한 장소인 지역장애인종합복지관(서울2, 경기1, 제주1, 총 4곳)으로 선정하였다. 지체(척수)장애인들이 자주 이용하는 장애인종합복지관 스포츠 대강당에서 안전장치(가이드라인, 울타리) 확보 후 실험연구를 진행하였다. 또한, 스포츠 가상현실(VR)종목 선정과정에서 스포츠 가상현실 체험 이후 실질적으로 지속 가능한 스포츠 종목을 1차적으로 채택하였고, 2차적으로 지체(척수)장애인들의 신체활동 제약에 지장 없는 스포츠 종목을 채택하였으며, 3차적으로 참여자들이 스포츠 종목의 경기규칙을 인지하는 종목을 채택하는 과정을 거쳐 최종적으로 탁구를 스포츠 가상현실 종목으로 선정하였다.

대한장애인체육회(2019)는 장애인 스포츠 종목별 등록 순위 중 탁구(1,457명)가 1순위인 것으로 발표하여 전국에 가장 많은 장애인들이 참여하고 있는 종목임을 알 수 있어 본 연구의 스포츠 가상현실 종목선정에 신뢰성을 더해주고 있다.

또한, 본 연구에 사용된 가상현실(VR)기기는 삼성전자의 HMD Odyssey+ VR 전문기기로 <그림 30>과 같다. Odyssey+ VR기기는 현재 국내 판매되는 가상현실기기 중 최고급 사양으로 고화질의 해상도로 실험자들이 실제와 같은 현장감을 지각할 수 있게 하고, 헤드셋의 형태로 실험연구 체험 도중 음향 사운드를 지원하여 실제 경기와 같은 몰입감을 느끼게 해주며, 체험 도중 흔들림 없이 잡아주는 헤드 브라켓이 있어 기기의 흔들림이 없는 제품이다. 마지막으로 손잡이 센서로 인하여 실제 탁구 라켓의 촉감과 타격시 타격감(진동)을 주어 실제성과 같은 환경을 구사하고 선의 길이가 3m로 지체(척수)장애인들이 본체와 멀리 떨어져서 움직이기에 불편함이 없이 실험연구를 진행하였다.

가상현실 체험 전 모집단 개인이 지각하는 스포츠 태도와 관여도에 대한 사전 설문지를 작성하게 하고 실제 경기와 같은 몰입감을 주기 위해 탁구 1인칭 모드로 진행하였으며, 탁구 종목의 경기 규칙으로 11점 선승, 3세트 경기 실험(실험참여시간 평균 20분이상)을 진행한 뒤 실험자들에게 사후 설문지를 작성하게 하여 타당하게 진행하였다.

<그림 30>. VR device [사진=삼성 오딧세이]

4. 측정도구의 타당성 및 신뢰성 검증

본 연구에 이용된 측정도구의 타당성을 검증하기 위하여 배리맥스(Varimax)방식을 통한 요인분석을 실시하였다. 분석을 통해 요인적재값이 .5 이상인 문항들만 선택하였으며, 신뢰성을 검증하기 위하여 내적일관성인 Cronbach`s α를 살펴보았다.
스포츠 태도 요인에 대한 탐색적 요인분석 결과는 <표 15>와 같다. 스포츠 태도 요인을 측정한 문항들은 3개요인으로 첫째, 심리적 요인은 고유값이 2.929, 분산이 32.539%, 둘째, 사회적 요인은 고유값이 2.399, 분산이 26.654%, 셋째, 신체적 요인은 고유값이 1.866, 분산이 20.732%로 나타났고, 누적 분산비율이 79.925%로 스포츠 태도 요인을 측정한 문항들은 비교적 타당하게 측정되었음을 알 수 있다. 또한, Nunally & Bernstein(1994)는 Cronbach`s α

값이 0.6이상이면 비교적 신뢰성이 높다고 주장하였는데 본 연구의 신뢰도 값은 기준치인 .6를 넘어 신뢰성을 확보하였다.

표 15. 스포츠 태도 요인에 대한 탐색적 요인분석 결과

설문문항	심리적	정서적	신체적
스트레스 해소	.936	.183	.151
기분 상쾌	.932	.239	.171
불안해소	.928	.265	.146
집단 연대감	.227	.878	.142
사회적응성	.119	.848	.169
친선도모	.328	.816	.177
비만예방	-.061	.229	.804
체력증진	.202	.063	.789
신체조건	.324	.159	.666
고유치	2.929	2.399	1.866
분산(%)	32.539	26.654	20.732
누적(%)	32.539	59.193	79.925
Cronbach's α	.787	.873	.975
KMO=.791, Bartlett의 구형성 검정: x^2=634.217, df=36, p=.000			

관여도 요인에 대한 탐색적 요인분석 결과는 <표 16>과 같다. 관여도 요인을 측정한 문항들은 단일요인으로 고유값이 3.114, 분산이 62.281%로 나타나 관여도 요인을 측정한 문항들은 비교적 타당하게 측정되었음을 알 수 있다. 또한, Nunally& Bernstein(1994)는 Cronbach`s α 값이 0.6이상이면 비교적 신뢰성이 높다고 주장하였는데 본 연구의 신뢰도 값은 기준치인 .6를 넘어 신뢰성을 확보하

였다.

표 16. 관여도 요인에 대한 탐색적 요인분석 결과

설문문항	관여도
스포츠는 필요하다	.843
스포츠는 지루하다	.798
스포츠는 흥분된다	.776
스포츠는 가치없다	.765
스포츠는 중요하다	.762
고유치	3.114
분산(%)	62.281
누적(%)	62.281
Cronbach's α	.847
KMO=.800, Bartlett의 구형성 검정:x^2=281.958, df=10, p=.000	

5. 자료처리방법

수집된 자료 분석은 SPSS 21.0 프로그램을 이용하여 실시하였다. 첫째, 조사대상자의 인구통계학적 특성을 확인하기 위하여 빈도분석을 실시하였다. 둘째, Cronbach's α를 통해 측정 도구의 신뢰도를 검증하였다. 셋째, 본 연구에 사용된 문항에 대한 구성타당성 검증을 위해 탐색적 요인분석을 실시하였다. 넷째, 성별에 따른 차이를 알아보기 위해 t-test를 실시하였다. 다섯 번째, 연령에 따른 집단간 차이를 알아보기 위해 일원배치 분산분석을 실시하였다. 여섯 번째, 사전, 사후간 차이를 알아보기 위해 대응표본 t-test분석을 실시하였다.

Ⅲ. 연구결과

1. 스포츠 가상현실(VR)체험 후 인구통계학적 특성에 따른 차이

1) 지체(척수)장애인의 스포츠 가상현실(VR)체험 후 성별에 따른 차이

스포츠 가상현실 체험 후 지체(척수)장애인의 인구통계학적 특성에 따른 차이로 먼저 성별 스포츠 태도 및 관여도에 대한 차이를 알아보기 위해 t-test를 실시한 결과는 <표 17>과 같다. 분석결과, 성별에 따른 스포츠 태도와 관여도 차이는 통계적으로 유의하지 않은 것으로 나타났다.

표 17. 성별에 따른 스포츠 태도 및 관여도의 차이

변 수	성 별	M(SD)	t	p
스포츠 태도	남성	4.23±.877	1.06	.291
	여성	4.44±.680		
관여도	남성	4.19±.666	.332	.441
	여성	4.25±.705		

2) 지체(척수)장애인의 스포츠 가상현실(VR)체험 후 연령에 따른 차이

지체(척수)장애인의 연령에 따른 스포츠 태도에 대한 차이를 알아보기 위해 일원배치 분산분석을 실시한 결과는 <표 18>과 같다. 분석결과, 연령에 따른 스포츠 태도는 통계적으로 집단 간의 차이가 있는 것으로 나타났다(p=.036). LSD 사후검정 분석 결과 50대 이상 연령 집단과 20대의 연령 집단에 유의한 차이가 있는 것으로 나타났다.

표 18. 연령에 따른 스포츠 태도의 차이

변 수	성 별	M(SD)	F	p	LSD
스포츠 태도	20대(a)	3.86±1.00	1.06	.036*	d>a
	30대(b)	4.27±.761			
	40대(c)	4.32±.442			
	50대이상(d)	4.74±.732			

*p<.05.

지체(척수)장애인의 연령에 따른 관여도에 대한 차이를 알아보기 위해 일원배치 분산분석을 실시한 결과<표 19>와 같다. 분석결과, 연령에 따른 관여도는 통계적으로 집단 간의 차이가 있는 것으로 나타났다(p=.025). LSD 사후검정 분석 결과 40대와 50대 이상 연령 집단이 20대의 연령 집단 간의 유의한 차이가 있는 것으로 나타났다.

표 19. 연령에 따른 관여도의 차이

변 수	성 별	M(SD)	F	p	LSD
관여도	20대(a)	3.78±.527	3.341	.025*	c,d>a
	30대(b)	4.18±.710			
	40대(c)	4.35±.464			
	50대이상(d)	4.53±.676			

*p<.05.

2. 스포츠 가상현실(VR)체험 전후 지체(척수)장애인의 스포츠 태도 차이

스포츠 가상현실(VR) 체험 전후 스포츠태도에 대한 차이를 알아보기 위해 대응표본 t-test를 실시한 결과 <표 20>과 같다.

표 20. 스포츠 가상현실(VR)을 이용한 지체장애인(척수)의 스포츠 태도 차이분석

장애유형	변 인	체험이전	체험이후	t	p
지체 장애인	심리적	3.34±1.33	4.00±1.28	2.47*	.018
	정서적	3.28±1.34	3.76±.946	1.74	.088
	신체적	3.50±.723	4.15±1.23	2.84*	.007
	스포츠태도	3.62±.112	4.61±.130	2.98**	.008

*p<.05.

분석결과, 스포츠 태도 하위요인 중 신체적요인(t=2.848, p=.007)과 심리적 요인(t= 2.473, p=.018)은 유의한 차이가 나타났고, 정서적 요인은 차이가 나타나지 않았다. 또한, 지체(척수)장애인이 느끼는 스포츠 태도는 스포츠 가상현실(VR)체험 전보다 이후에 더 높은 것으로 나타났다(t=2.985, p=.008).

3. 스포츠 가상현실(VR) 체험 전후 지체(척수)장애인의 스포츠 관여도 차이

스포츠 가상현실(VR)체험 전후 스포츠 관여도에 대한 차이를 알아보기 위해 대응표본 t-test를 실시한 결과<표 21>과 같다. 분석결과, 비장애인이 느끼는 관여도는 스포츠 가상현실(VR) 체험 이전보다 체험 이후에 더 높은 것으로 나타났다(t=4.737, p=.000).

표 21. 스포츠 가상현실(VR)을 이용한 지체장애인(척수)의 관여도 차이분석

장애유형	변 인	체험이전	체험이후	t	p
지체 장애인	관여도	3.94±.241	4.67±.156	4.73	.000***

***p<.001.

Ⅳ. 논 의

최근 코로나19 바이러스로 인한 사회적 거리두기는 장애인들의 스포츠 참여 활동을 더욱 소극적으로 하게 한다(노컷뉴스, 2020, 09, 18). 장애인들은 비장애인들과 달리 비대면 운동과 홈트레이닝만으로는 공간 및 신체활동에 제약점이 있고 코로나19 팬데믹(pandemic) 사태에 대한 대응능력부족으로 스포츠 복지의 사각지대에 놓여지게 되었다(손성원, 2020, 09, 10). 최근 소외되어 있는 장애인들을 위한 스포츠 복지정책의 통합 구현을 위해 비장애인과 동등한 시선과 인권이 보장되어야 장애인들의 스포츠 참여가 더욱 활성화될 것이라 판단된다(이성규, 김종건, 2003).

21세기 스포츠 통합시대 구현에 발맞춰 비장애인과 장애인 구분없는 스포츠 환경을 구축하기 위한 첫걸음으로 누구나 즐길 수 있는 스포츠 가상현실이 대안으로 떠오르고 있다. 최근 가상현실은 체험자의 시각, 생동감, 몰입하는 감정들까지 생생하게 재현해 낼 수 있어, 스포츠의 본질과 가상현실이라는 과학 기술을 융합한 스포츠 컨텐츠는 장애인들에게 심리적 및 신체적 등 다양한 요인들에게 미칠 영향력은 더욱 클것으로 판단된다(김영하, 서현, 2020). 따라서 본 연구는 스포츠 가상현실 체험으로 인한 지체장애인(척수)들이 지각하는 스포츠 태도 및 관여도에 대한 차이를 분석하였으며 이러한 결과를 통해 다음과 같이 논의를 하고자 한다.

첫째, 스포츠 가상현실체험 후 지체(척수)장애인의 성별에 따른 스포츠 태도와 관여도 차이를 알아보기 위해 t-test를 실시한 결과 성별에 따른 스포츠 태도와 관여도는 통계적으로 차이가 없는 것으로 나타났다. 이러한 연구결과 박현승(2019)과 이상용(2011)의 연구에서 성별에 따른 스포츠 태도에 대한 차이는 없다고 발표하였으며, 김동욱(2019)과 박명우(2016)의 연구에서 성별에 따른 스포츠 관여도는 차이가 없다고 발표하여 본 연구결과를 지지해주고 있다. 즉, 지체(척수)장애인의 성별과 상관없이 스포츠 가상현실 체험은 스포츠 태도와 관여도 모두에게 긍정적인 영향을 미치고 있음을 알 수 있다. 즉, 지체 장애인의 남녀 간 신체조건 차이가 있음에도 불구하고 스포츠 가상현실을 즐길 수 있다는 것을 의미한다. 따라서 성별에 관계없이 가상현실 속에서 스포츠를 경험할 수 있다는 것을 강조하여 많은 장애인들에게 권장하고 경험하게 된다면 지각하는 스포츠 태도 및 관여도가 상승될 것으로 판단되며, 향후 실제 장애인 스포츠 참여율 상승과 적응에도 크게 영향을 미칠 것으로 판단된다.

둘째, 스포츠 가상현실체험 후 지체(척수)장애인 연령에 따른 스포츠 태도와 관여도 차이를 알아보기 위해 일원배치 분산분석을 실시한 결과 연령에 따른 스포츠 태도와 관여도는 통계적으로 연령 집단 간의 차이가 있는 것으로 나타났다. 사후분석 결과를 보면 50대 이상 연령과 20대 연령 간의 차이가 있는 것으로 나타났다. 스포츠 태도에 관해서 강지숙(2011)은 스포츠 참여자의 연령이 증가할수록 스포츠 활동은 태도에 긍정적인 영향을 준다고 주장하였고, 김숙현(2013)은 연령 집단에 따른 스포츠 관여도는 차이가 있다고 주장하여 본 연구결과를 지지해주고 있다.

본 실험 연구의 참여자들을 살펴보면 20대부터 50대이상 연령의 참여자까지 포함하여 실험연구를 진행하였는데, 평균값을 보면 20대 연령의 평균값보다 50대이상 연령대의 중앙값이 상당히 높은 것을 알 수 있다. 이러한 결과는 스포츠 가상현실의 참여 효과가 20대의 연령대보다 고연령인 50대이상의 연령대에게 극대화 되었다는 것을 알 수 있다. 고연령 참여자들에게는 스포츠 가상현실 체험을 낯설게 지각하였지만, 체험 이후 흥미와 재미, 몰입 등 긍정적으로 심리적 요인들을 지각하면서 스포츠 태도 및 관여도 등 다양한 요인들에 긍정적인 영향을 미친것으로 판단된다. 아쉽게도 현재 스포츠 가상현실 체험 및 홍보는 장애인보다는 주로 비장애인들을 중점적으로 또는 기업의 사회적 책임과 홍보수단으로 낮은 연령 장애인들을 대상으로 광고나 이슈화하고 있는 것이 대부분이다. 그러면서 점차 고연령 장애인들이 지각하는 스포츠 가상현실은 비장애인들의 점유물 또는 자신과 상관없는 스포츠분야로 지각하여 고연령 장애인들의 스포츠 진입장벽을 낮추지 못하였지만, 본 실험연구 결과를 통해 상당부분 고연령의 장애인참여자들이 재미와 스포츠 관심, 긍정적인 태도를 취하였다. 따라서 향후 고연령 장애인들을 대상으로 스포츠 가상현실 체험의 직간접 기회를 대폭 증가시킨다면 재미유발, 호기심, 스포츠 가상현실에 대한 정보탐색 등 심리적으로 긍정적 요인을 거쳐 가상현실을 통한 스포츠 저변확대에 도움이 되고 실제 장애인 스포츠 활동 참여에도 촉진제 역할을 할 것으로 판단된다.

셋째, 지체(척수)장애인들을 대상으로 스포츠 가상현실 체험 전후 스포츠 태도에 대한 차이를 분석한 결과, 스포츠 태도에서는 통계적으로 유의한 차이가 있는 것으로 나타났다. 이와 같은 결과는 김동원(2020)의 지체장애인들의 스포츠 참여가 스포츠 태도에 긍정적인 영향을 미친다는 결과와 김가나(2019)의 연구에서 스포츠를 통한 경험은 다양한 태도에 긍정적 변화 및 영향을 준다고 주장하여 본 연구결과를 지지해주고 있다. 또한, 스포츠 태도 하위요인 간의 차이를 분석한 결과 신체적 요인과 심리적 요인에 차이가 있음을 알 수 있었다. 연구결과 스포츠 가상현실 체험 이후 신체적 요인이 4.15로 가장 높게 나타났으며, 심리적 요인은 4.00으로 나타났다. 이는 새로운 IT스포츠 체험으로 인한 지체(척수)장애인들의 재미, 흥미 및 몰입을 경험하게 되고 스포츠 가상현실 체험 이후 심리 상태가 호의적으로 전환되었기에 결과치가 상승된 것으로 판단된다.
지체(척수)장애인들은 평소 거동이 불편하여 이동 수단인 휠체어로 대부분 이동을 하고 있다. 하지만 혼자서는 스포츠 경기장 및 이벤트 장소까지 이동의 어려움이 많고, 보조 도우미가 없다면 실질적인 활동이 어렵다(강선영, 2014). 이렇듯 장애인들은 신체적, 정신적 등 다양한 이유로 스포츠 활동의 직간접 체험이 힘든 실정이므로 스포츠에 대한 태도가 낮았던 것으로 사료된다. 그러나 장소를 가리지 않고 언제 어디서든 즐기고 체험할 수 있는 스포츠 가상현실(VR)체험 이후 스포츠에 대한 흥미, 재미, 개념 및 태도 등 심리적 요소들을 긍정적으로 지각하여 스포츠 태도 요인이 상승된 것으로 판단된다. 또한, 간단한 체험이 아닌 실제 탁구 경기와 같은 규칙으로 가상현실 속에서 경기를 진행하였기 때문에 승패여부와 상관없이 스트레스 해소 및 몰입, 동일시 등 심리적 요인들을 지각하고, 스포츠에 관한 태도와 경험, 몰입에 긍정적인 영향을 미친 것으로 판단된다.

그리고 지체장애인들은 스포츠 가상현실 활동을 함으로써 신체능력 유지 및 체력증진에 도움이 되며, 경기 도중 재미와 흥미, 호의적 태도를 지각한 장애인들은 스포츠 가상현실과 실제 스포츠에 관심을 가져 스포츠 가상현실(VR)이용을 통한 소비 및 직간접참여가 증대될 것으로 판단된다. 따라서 장애인 스포츠 활성화를 위해 스포츠 가상현실(VR)참여를 적극 권장하고, 장애인이 다양한 가상현실 스포츠 종목을 체험할 수 있게 하여 체험 도중 자신이 지각한 스포츠 경험과 몰입감을 토대로 긍정적인 태도를 지니게 된 장애인들은 실제 스포츠 관심과 참여로 이어지게 될 것으로 판단된다.

넷째, 지체(척수)장애인들을 대상으로 스포츠 가상현실 체험 전후 관여도 차이를 분석한 결과 통계적으로 유의한 차이가 있는 것으로 나타났다. 이러한 결과는 김동원(2017)의 연구 결과와 일치하는데 장애인들의 스포츠 참여가 관여도에 긍정적인 영향을 미친다고 주장하여 본 연구결과를 지지해주고 있다. 관여도는 심리적 상태를 설명하는 것이며, 행동의 특성을 결정하고 스포츠에 대한 지속적인 관심을 가지게 하는 주요 요인이다. 이렇듯 스포츠 태도와 같이 지체(척수)장애인들의 스포츠에 대한 관여도가 저조하였으나 가상현실 스포츠체험 이후 관여도가 상승된 것을 알 수 있다. 이러한 결과를 바탕으로 지체(척수)장애인들의 스포츠 관여도를 높이기 위해서는 스포츠의 다양함을 가상현실로 체험하게 해주어 즐거움 및 흥미, 몰입 등 심리적 요소들을 자극하고 실제 스포츠 종목 참여 및 스포츠 경험 활동적인 면으로 이끄는 것이 중요하다. 따라서, 가상현실 참여 촉진을 통하여 직접 참여 스포츠만이 아닌 스포츠 소비, 스포츠 이벤트장 방문, 스포츠 가상현실 종목추가 등 다양한 방면으로 장애인에 대한 배려와 참여장려를 한다면 장애인들의 스포츠 관여도는 더욱 높아질 것으로 사료된다.

V. 결 과 및 제 언

본 연구는 지체(척수)장애인들을 대상으로 스포츠 가상현실(VR)체험으로 인한 스포츠 태도와 관여도에 대한 차이를 실증적으로 규명하기 위해 실험연구를 진행하였다. 이에 지체장애인(척수) 31명이 모집단으로 선정되었으며, 자료처리 방법은 SPSS 21.0을 이용하여 빈도분석, 요인분석, 신뢰도분석, 대응표본 t-test, 독립표본 t-test, 일원배치 분산분석을 이용하였고, 결과를 바탕으로 다음과 같은 결론을 도출하였다.

첫째, 지체(척수)장애인의 스포츠 가상현실 체험 후 성별에 따른 스포츠 태도와 관여도는 통계적으로 유의한 차이가 없는 것으로 나타났다.

둘째, 지체(척수)장애인스포츠 가상현실 체험 후 연령에 따른 스포츠 태도와 관여도는 통계적으로 연령별 집단에 차이가 있는 것으로 나타났다.

셋째, 스포츠 가상현실(VR)체험이 지체(척수)장애인들의 스포츠 태도에 통계적으로 유의한 차이가 있는 것으로 나타났다.

넷째, 스포츠 가상현실(VR)체험이 지체(척수)장애인들의 관여도에 통계적으로 유의한 차이가 있는 것으로 나타났다.

본 연구결과를 토대로 제한점과 후속 연구에 대한 제언은 다음과 같다.

첫째, 본 연구는 장애분류 15종류 중 지체장애인의 범주하에 있는 척수(휠체어)장애인들을 대상으로 실험연구를 진행하였기에 모든 장애인들로 일반화하기에는 다소 무리가 있다. 따라서 후속 연구에서는 세분화된 장애분류로 실험연구를 진행한다면 보다 다양한 결과가 도출될 것으로 판단된다.

둘째, 본 연구에서 가상현실 스포츠종목을 탁구로 선정하였으나 가상현실로 즐길 수 있는 종목은 다양하다. 후속연구에는 한 가지의 종목이 아닌 다양한 가상현실 스포츠종목을 적용하여 연구결과를 보다 객관화해야 할 것으로 판단된다.

셋째, 본 연구에서 스포츠 가상현실 체험 이전과 이후로 나뉜 스포츠 태도와 관여도에 대해서 진행하였지만 향후 연구에서는 비장애인들과 비교집단으로 선정하여 연구한다면 보다 다양한 결과가 도출될 것으로 판단된다.

참고문헌

강선영(2014). 척수장애인 신체활동 증가를 위한 피트니스 아바타 모형 개발. **융합보안논문지, 14**(3), 65-70.
강선영(2015). 지적장애아동의 기능성 게임 참여에 따른 행동 변화 및 운동수행능력. **융합보안논문지, 15**(4), 149-154.
강승애(2013). IT기술과 운동재활의 융복한 체계연구. **융합보안논문지, 13**(3), 3-8.
강유석(2011). 비디오 게임을 이용한 가상현실 운동 프로그램이 뇌성마비 학생의 기능성 운동능력, 시지각능력 및 균형능력에 미치는 영향. **한국운동재활학회지, 7**(4), 79-89.
강유석, 이계영(2015). 비디오게임을 활용한 가상현실 운동프로그램이 발달장애성인의 건강체력 및 신체활동수준에 미치는 영향. **한국특수체육학회지, 23**(4), 15-29.
강지숙(2011). **스포츠 콘텐즈 이용동기와 스포츠 태도가 이용행위에 미치는 영향**. 미간행 석사학위 논문, 한경대학교 대학원.
고문순(2022. 05. 09). e-스포츠 전문 DRX, "후배들 위한 더 나은 e스포츠 산업과 기회 만들어갈 것", 머니투데이.
https://news.mt.co.kr/mtview.php?no=2022050613240412037발췌.
김가나(2019). **골프장 소비가치가 소비서향, 스포츠태도 및 행동의도에 미치는 영향**. 박사학위논문, 고려대학교 대학원.
김동욱(2019). **스포츠 관여도와 광고소구유형에 따른 아이스하키 광고포스터의 효과검증**. 미간행 석사학위논문, 연세대학교 교육대학원.
김동원(2017). 지체장애인의 파크골프 참여가 여가관여도 및 운동몰입에 미치는 영향. **한국스포츠학회지, 15**(7), 1-9.
김미정(2015). 가상현실기술을 적용한 국내 장애인 재활프로그램 연구동향. **디지털융복합연구, 13**(2), 381-391.
김민호, 강효순(2016). 청각 장애인을 위한 자막방송 시스템 구현.

한국게임학회논문지, 16(1), 103-110.
김세웅(2017). 대학생의 스포츠관여도가 대학스포츠 팀 동일시와 충성도에 미치는 영향. **한국스포츠학회지**, 15(4), 129-138.
김솔(2021). 초등교육현장의 e스포츠 교육 활성화 방안 연구. **e스포츠 연구: 한국e스포츠학회지**. 3(1), 41-64.
김숙현(2013). **노인 스포츠관여도와 마케팅전략이 소비자태도 및 구매 후 행동에 미치는 영향**. 미간행 박사학위논문. 목포대학교 대학원.
김영선, 이학준(2020). 세대 소통으로서의 e스포츠. **e스포츠 연구: 한국e스포츠학회지**, 2(2), 46-67.
김영하, 서현(2020). 가상현실 관광콘텐츠 사용자의 프레즌스 경험 및 프레즌스 효과에 관한 연구. **관광레저연구**, 32(7), 217-231.
김인애, 김동만, 한민규(2010). 신체활동에 따른 척수장애인의 비만도 평가. **한국특수체육학회지**, 18(1), 67-77.
김인호, 석강훈(2018). 대학축구선수들의 스포츠 태도, 구매성향 및 구매 후 행동과의 관계. **한국스포츠학회지**, 16(3), 573-584.
김종필, 김공, 이현정, 김옥주(2018). 대학 교양체육수업에서 스크린 스포츠 수업의 필요 타당성 분석. **한국체육과학회지**, 27(6), 719-733.
김중현(2010). **스포츠 관여유형에 따른 스포츠 스폰서쉽 인식과 구매의도와의 구조관계**. 미간행 석사학위논문. 연세대학교 대학원.
김진희, 임다연(2021). e스포츠 선수의 젠더인식 탐색. **체육과학연구**, 32(2), 217-229.
김태일, 도수관(2005). 장애인과 비장애인의 정보기술에 대한 인식 차이에 따른 정보 활용능력 및 활용형태 차이 분석. **한국정책학회 동계학술발표논문집**, 2005, 161-188.
김해원, 전채남(2014). 빅데이터를 활용한 콘텐츠 제작방안에 관한 탐색적 연구. **사이버커뮤니케이션학보**, 31(3), 5-51.

김화진, 정양미(2013). 관여도와 지각된 가치가 고객만족, 몰입과 고객충성도에 미치는 영향. **서비스경영학회지**, 14(2), 145-163.
남민지, 이은지, 신주현(2015). 인스타그램 해시태그를 이용한 사용자 감정 분류 방법. **멀티미디어학회논문지**, 18(11), 1391-1399.
대한장애인체육회(2019). **2019 장애인체육인현황**.
문원빈(2021, 01. 19). 게임산업 '코로나19사태에도 11.9% 성장률 기록'. 게임플.
http://www.gameple.co.kr/news/articleList.html?sc_section_code=S1N15&view_type=sm발췌.
박다솔, 신가인, 우예신, 박혜연(2018). 가상현실 프로그램을 사용한 재활치료의 효과성 연구. **재활복지**, 22(3), 209-224.
박명기(2022. 04. 13). [최은경의 e스포츠3] 항저우 아시안게임,'주최국 유리'불공정 감시해야. 한경닷컴 게임톡.
https://gametoc.hankyung.com/news/articleView.html?idxno=65795발췌.
박명우(2016). **헬스클럽 이용자들의 운동환경만족과 관여도 및 여가경험의 관계**. 미간행 석사학위논문, 용인대학교 교육대학원.
박성제, 이제욱(2018). VR스포츠중계의 서비스품질과 이용자혁신성이 수용의도에 미치는 영향. **한국사회체육학회지**, 71, 269-282.
박예진(2022. 01. 11). 'e스포츠' 일상체육처럼…'아마추어 리그' 활성화 과제, 아이뉴스24.
https://www.inews 24.com/view/1441879발췌.
박현승(2019). **수영 참가자의 스포츠미디어 관여경험이 참여동기, 스포츠태도 및 지속적 참여의도에 미치는 영향**. 미간행 석사학위논문, 숭실대학교 대학원.
서은철, 오아라(2017). 비장애인과 지체장애인의 장애인스포츠인식 요인구조 비교 및 잠재평균분석. **한국체육학회지**, 56(5), 793-805.
서재열(2020). e스포츠 플랫폼의 상호작용성, 사회적 실재감, 재시

청의 구조적 관계. **한국스포츠학회지**, 18(2), 1265-1272.
손성원(2020, 09, 04). 헬스장 닫히고 '홈트'도 답답..
https://www.hankookilbo.com/News/Read/A2020090415000003724?did=NA발췌.
송형석(2011). 스포츠를 통한 사회통합, 그 가능성의 고찰. **한국체육학회지**, 50(2), 31-44.
양영종(2011). 제품관여도와 신뢰, 몰입이 버스 광고효과에 미치는 영향 연구. **옥외광고학연구**, 8(2), 5-27.
엄준필, 한진욱(2018). VR을 통한 스포츠 체험의 프레즌스가 종목 태도에 미치는 영향. **한국스포츠산업경영학회지**, 23(1), 15-29.
연찬모(2021. 01. 07).'넥슨'피파 온라인4', 아마추어e스포츠 활성화 '앞장'. 뉴데일리경제.
오형근, 서규혁(2022). 빅데이터를 활용한 e스포츠 인식 및 요구분석. **한국체육과학회지**. 31(2), 327-340.
유두호, 최정윤(2022). 이스포츠의 성장 방향 모색 - 이스포츠의 이미지와 성장가능성 인식을 중심으로. **한국게임학회 논문지**, 22(3), 69-80.
유연호(2017). 가상현실 스포츠 참여가 지적 장애인의 운동 몰입도와 하지 근 기능에 미치는 영향. **한국체육학회지**, 56(4), 613-623.
윤인애(2020). e-스포츠 참여자들이 인식하는 멘탈영역 연구. **한국웰니스학회지**, 15(4), 495-514.
이경훈, 김주영, 유재현(2020). 게임바이크를 이용한 가상현실 운동 프로그램적용이 지적장애인의 건강관련체력과 정신건강에 미치는 영향. **한국엔터테인먼트산업학회논문지**, 14(2), 119-129.
이상용(2011). **청소년의 미디어 스포츠 수용동기, 관여수준과 스포츠 태도 및 참가의 관계**. 미간행 박사학위논문, 한양대학교 대학원.
이상우(2022. 05. 02). 코로나19 속 성장, 자산총액 30조 넘는 IT 기업도 나왔다. 아주경제.

https://www.ajunews.com/view/20220502061449662발췌.
이상호(2020). e스포츠의 개념 형성과 특징. **e스포츠 연구: 한국e스포츠학회지**. 2(1), 1-16.
이상호(2021). **e스포츠의 이해**. 서울:박영사.
이상호, 황옥철(2020). e스포츠 현상의 이해와 학제적 접근. **한국체육학회지**, 59(2), 19-32.
이성규, 김종건(2003). 장애인 스포츠 활동의 현황과 인식에 기초한 장애인스포츠 지원체계 개선방안. **사회복지정책**, 17, 127-150.
이승훈(2019). 국내e스포츠 관련 연구동향 분석. **e스포츠 연구 : 한국e스포츠학회지**, 1(1), 28-37.
이승훈, 이범로, 류성열(2010). 기능성게임 분야별 R&D 핵심수요 기술 분석. **한국컴퓨터게임학회논문지**, 22, 33-41.
이용민, 권오정(2020). 척수장애인의 주거공간 디자인 방향 설정을 위한 내 생활 행위 특성 연구. **한국실내디자인학회**, 29(2), 124-134.
이원무(2021. 08. 11). 발달장애인 문제행동? 사회시선이 문제. 에이블뉴스,
https://www.ablenews.co.kr/news/articleView.html?idxno=94896 발췌.
이은정(2020). 빅데이터 분석을 활용한 스크린 스포츠 현황 추이 및 인식 분석 연구. **한국여성체육학회지**, 34(2), 17-32.
이재경, 리대룡(2004). 장애인 광고의 유형에 따른 소비자의 감정과 태도 연구. **광고학연구**, 15(3), 159-179.
이재문(2021). 빅데이터 분석을 활용한 홈트레이닝 시장 전망 및 발전방안에 관한 연구. **한국체육학회지**, 60(1), 189-202.
이재우, 이종원, 김효남(2021). e스포츠 종목 분석을 통한 e스포츠 활성화 방안에 관한 연구. **한국컴퓨터정보학회 학술발표논문집**, 29(1), 53-55.

이정학, 김재혁, 임승재(2021). e스포츠 중계방송 해설자의 특성인식과 의사인간관계 및 시청몰입 간의 관계. **한국체육과학회지, 30**(3), 407-420.
이정학, 이재문, 김재환, 김형근(2017). 소셜미디어 빅데이터 분석을 활용한 해양스포츠 인식 변화. **한국스포츠산업경영학회지, 22**(1), 31-46.
이정학, 이재문, 이은정(2017). 빅데이터 분석을 활용한 배드민턴 브랜드 인식에 관한 연구. **한국체육과학회지, 26**(3). 125-137.
이정학, 최경환, 이은정, 김민준(2020). 스포츠 광고 자막유무에 따른 광도태도 및 브랜드태도에 대한 연구. **한국체육과학회지, 29**(3), 575-586.
이정학, 최경환, 조혜경(2021). 스포츠 가상현실(VR)을 체험한 척수 장애인의 프레즌스(Presence)가 몰입 및 스포츠 관여도에 미치는 영향. **한국체육과학회지, 30**(2), 665-677.
이진우(2014). **SNS빅데이터를 활용한 디지털사이니지 영상콘텐츠 디자인 연구-디지털사이니지 매거진TV를 중심으로.** 미간행 석사학위논문, 홍익대학교 대학원.
이학준, 황옥철, 김영선(2020). 코로나19 이후 e스포츠교육의 방향. **e스포츠 연구: 한국e스포츠학회지, 2**(1), 28-37.
이희지, 조광민(2019). 가상현실 스포츠 이용자의 프레즌스와 감정반응, 스포츠 태도 및 행동의도의 구조적 관계. **한국스포츠산업경영학회지, 24**(3). 66-84.
장경로, 한광민, 김태희(2019). 가상현실 스포츠에서 감각적 리얼리티와 인지적 리얼리티가 즐거움과 유용성 및 고객가치에 미치는 영향. **한국체육학회지, 58**(2), 287-306.
장보윤, 왕용덕(2019). 빅데이터 분석에 의한 골프장 서비스와 골프장 만족에 대한 인식 연구. **한국체육과학회지, 28**(2), 561-573.
장충호(2022. 05. 17). '경기 e스포츠 페스티벌' 45만여명 온라인

시청 '성공적 폐막'. 파이낸셜뉴스,
https://www.fnnews.com/news/202205170915552709발췌.
전찬민(2021. 10. 13). e스포츠와 만난 암호화폐, MZ세대까지 사로잡는다. 공학저널.
http://www.engjournal.co.kr/news/articleView.html?idxno=1651발췌.
정기문, 류은진, 김현진(2016). 가상현실프로그램을 이용한 유산소 운동이 20대 흡연 남성의 폐활량에 미치는 영향. **한국엔터테인먼트산업학회논문지**, 10(6), 323-329.
정영수(2019). 한국e스포츠 현황의 특성 연구. **e스포츠 연구: 한국e스포츠학회지**, 1(1), 47-57.
정재식(2016). **Wii를 활용한 가상현실 기반 게임 중재가 정신지체 학생의 탁구 리시브 향상에 미치는 영향**. 미간행 석사학위논문, 용인대학교 교육대학원.
정혜정, 오경화(2016). 소셜 빅데이터를 통한 윤리소비유형, 동기와 감정 분석. **한국심리학회지 소비자·광고**, 17(4), 875-893.
조건희(2023. 12. 29). 짧은 운동 구성, '우리집 트레이닝 -최단 4분 근력 운동&유산소 운동-', 게임샷.
https://www.gameshot.net/common/con_view.php?code=GA658e5b55152a6발췌.
조영미(2022. 05. 08). 게임 '스타 중의 스타' 페이커 출격…국가대항 MSI 부산서 막 오른다. 부산일보. http://www.busan com/view/busan/view.php?code=2022050819141241930발췌.
조우련(2012). **Wii를 활용한 가상현실 기반 게임중재가 지체장애 학생의 보치아 던지기 수행에 미치는 영향**. 미간행 석사학위논문. 이화여자대학교 대학원.
조우련, 박은혜(2013). 가상현실 기반 게임 중재가 지체장애 학생의 보치아 던지기 수행에 미치는 영향. **지체중복건강장애연구**, 56(1),

121-140.
첸향, 김동환(2022). 코로나-19 상황에서 중국 유학생의 e스포츠 참여와 스포츠 수용태도 및 학교 생활 적응의 관계. **한국체육교육학회지, 27**(1), 105-117.
최경환(2021). 장애인 e스포츠 인식조사 및 발전 방향. **한국체육과학회지, 30**(6), 425-436.
최경환(2021). 지체장애인의 e스포츠 인식 및 차이분석. **e스포츠 연구: 한국e스포츠학회지, 3**(2), 24-35.
최경환(2022). e스포츠 캐릭터 동일시가 몰입 및 자기효능감에 미치는 영향. **한국체육과학회지, 31**(1), 315-328.
최경환, 황옥철(2021). 장애인 e스포츠 인식조사 및 발전 방향. **한국체육과학회지, 30**(6), 425-436.
최명진(2010). **e-스포츠 참여가 정신지체장애 학생의 자신감 및 사회성 발달에 미치는 영향**. 미간행 석사학위논문, 중앙대학교 교육대학원.
최예지(2021. 02. 04). "e스포츠 전공자 수요↑" 중국 뜨거운 e스포츠 열풍. 아주경제.
https://www.ajunews.com/view/20210203102749491발췌.
최완재(2013). **대학생의 스포츠가치관 및 태도가 스포츠 참가에 미치는 영향**. 미간행 석사학위논문, 경기대학교 교육대학원.
최의열(2020). 가상현실 스포츠테마파크 수요 및 소비지출 결정요인 분석. **한국스포츠산업경영학회지, 25**(3), 73-83.
최정혜, 방승로(2021). 청소년 게임 과몰입 해소를 위한 e-스포츠 온라인 수련활동 프로그램 효과성 연구. **한국게임학회 논문지. 21**(5), 133-142.
최정호, 이제욱(2019). 가상·증강현실 기반 e스포츠의 스포츠화를 위한 입법 개선방안 연구. **스포츠와 법, 22**(1), 109-128.
최정호, 이제욱(2019). 가상·증강현실 기반 e스포츠의 스포츠화를 위한 입법 개선방안 연구. **한국스포츠엔터에인먼트법학회**, 22(1), 109-128.
탁광우(2020). **스크린 이용고객의 프레즌스가 몰입, 이용만족, 재방문의도에 미치는 영향**. 미간행석사학위논문, 경희대학교 교육대학원.
통계청(2019). **2019 장애인등록현황**.
한국콘텐츠진흥원(2019). 이스포츠 실태조사. (KOCCA 연구보고서, 19-31).
한기향(2021). 빅데이터 분석을 이용한 아웃도어 웨어에 관한 소비자 인식 연구: 코로나19를 기준으로. **한국스포츠학회지**, 19(4), 43-58.
홍원표(2019). **지체장애인의 가상현실 스포츠참여에 대한 혁신특성, 혁신저항, 수용의도의 관계**. 미간행 석사학위논문. 단국대학교 교육대학원.
Kim J, Y., Lee D, Y (August 17, 2021). It refers to the communication difficulties of Anne with hearing impairment in her second year of COVID-19. Oh my news.
http://www.ohmynews.com/NWS_Web/View/at_pg.aspx?CNTN_CD=A0002766683&CMPT_CD=P0010&utm_source=naver&utm_medium=newsearch&utm_campaign=naver_news발췌.
Lee S, H (2020). Academic understanding of e-sports fun. E-Sports Research: *Journal of the Korean e-Sports Association, 2*(2), 1-20.
Shin Y, A (2016). The effect of participation in dance sports on the body composition, cardiopulmonary function, and balance ability of the hearing impaired. *Journal of the Korean Sport Association, 24*(1), 41-51.
Buffart, L. M., Berg-Emons, R. J. G., Wijlen, M.S., Stam, H. J., Roebroeck, M. E.(2008). "Health-related fitness of adolescents

and young adults with myelomeninggocele", *European Journal of Applied Physiology, 103*(2), pp. 181-188.

Catts H,W(1989). Defining dyslexia as a developmental language disorder. *Ann Dyslexia, 39*(1), 39-50.

Choi M, A., Kim S, H., Cho M, A., Park D, Y., Kim Y, H, Yoon J, H (2020). Development of an automatic speech-subtitle change system for the hearing impaired and enhancement of speech recognition rate. Collection of thesis at the Korean Broadcasting Engineering Association *Academic Presentation Conference, 2020*(7), 343-346.

Deutsch, J, E., Borbely, M., Filler, J., Huhn, K., & Guarrera-Bowlby, P. (2008). Use of lowcost, commercially available gaming console(Wii) for rehabilitation of an adolescent with cerebral palsy. *Physical Therapy, 88*(10), 1196-1207.

Goen.. G, J. (1982). "The effects of music in advertising on choice behavior: A classicalcondi- tioning approach", *Journal of Marketing*, 94-101

Grant, G. (1993). Support networks and transitions over two years among adults with a mental handicap. *Mental Handicap Research, 6*(1), pp.36-55.

Jeong Y, D (2021). Understanding the management status of esports companies in small and medium-sized parents through financial indicator analysis and seeking ways to develop them. *Journal of the Korean Sports Industry Management Association, 26*(5), 1-21.

Jeong Y, S., Kim Y, S., Hwang O, C (2021). The possibility of using e-sports education and universal learning design (UDL) as future education. *Journal of the Korean Wellness Society,*

16(2), 53-62.
Kim M, H., Kang H, S (2016). Implementation of a subtitle broadcasting system for the hearing impaired. *Paper of the Korean Game Association, 16*(1), 103-110.
Kim S (2021). A study on how to revitalize e-sports education in the elementary education field. *E-Sports Research: Journal of the Korean e-Sports Association, 3*(1), 41-64.
Kim Y, M (2021). Effect of the attributes of famous e-sports professional gamers on the image and loyalty of clubs and channels. *Advertising PR Practical Research, 14*(3), 7-27.
Korea Creative Content Agency (2019). 2019 E-Sports Survey (KOCCA Research Report 63-73)
Lee C, G., Hyun K, S., Cho B, J., Kim Y, P, Kim Y, J (2002). Participation in dance sports for the hearing impaired. Effect on social and emotional development. *Journal of the Korean Sport Association, 10*(2), 127-134.
Lee E, S (2004). Effect of hearing impaired people′s participation in aerobic exercise programs on body composition. *Korea Sports Research, 15*(6), 787-798.
Lee H, J (2021). The new normal of post-COVID-19 sports. *Research on Sports Anthropology, 16*(1) and 26-36.
Lee H, S., Park D, W (2021). A plan to develop e-sports content using e-sports consumption propensity. *E-Sports Research: Journal of the Korean e-Sports Association, 3*(1), 15-40.
Lee J, H., Choi K, H., Cho H, K (2021). Analysis of differences in sports attitudes and involvement of people with physical disabilities before and after sports virtual reality (VR)

experience. *Journal of the Korean Sport & Olympic Science, 30*(3), 667-679.
Lee J, H., Choi K, H., Cho H, K (2021). The effect of presence of spinal cord disabled people who have experienced sports virtual reality (VR) on immersion and sports involvement. *Journal of the Korean Sport & Olympic Science, 30*(2), 665-677.
Lee J, H., Kim J, H., Lim S, J., Cho H, K (2021). The relationship between the perception of the characteristics of e-sports broadcasting commentators and the relationship between pseudo-human relations and viewing commitment. *The Korea Sports Science Association. 30*(3), 407-420.
Lee J, W., Lee J, W., Kim H, N (2021). A study on how to revitalize e-sports through e-sports event analysis. *Collection of academic presentations by the Korean Computer Information Society, 29*(1), 53-55.
Lee S, H(2021). *Understanding of e-sports.* Seoul: Park Youngsa.
Lee S, H., Hwang O, C (2020). Understanding of e-sports phenomena and an interdisciplinary approach. *Journal of the Korean Physical Education Association, 59*(2), 19-32.
McKinsey(2011). *Big Data: The next frontier for innovation,* competition, and productivity.
Ministry of Health & Welfare(2017). *Disability registration status.* Korea Institute for Health and Social Affairs.
Ministry of Health and Welfare (2018). *Status of registered disabled persons.* Ministry of Health and Welfare.
Park S, H, Jung Y, R, R., Lee Y, H., Kim B, M (2019). A

study on the current status and actual condition of e-sports for the disabled. *Journal of the Korean Women's Sports Association, 33*(4), 147-164.

Park S, H., Jung Y, R, R., Lee Y, H (2019). A study on the development of e-sports for the disabled. *Journal of the Korean Sport Association, 27*(4), 113-130.

Seo Y, K., Ahn S, W (2021). The effect of self-efficacy of the hearing impaired on life satisfaction. *Journal of Special Education: Theory and Practice, 22*(2), 181-201.

Zaichkowsky, J. L (1985). Measuring the involvement construct. *Journal of Consumer, 12-13.*

에필로그

1. 장애인e스포츠 경기

저자는 2021년부터 경성대학교 e스포츠 연구소에서 연구교수로 재직하였으며, 현재는 동신대학교 생활체육학과 교수로 재직중에 있다. 2021년부터 장애인e스포츠와 관련된 경기장을 대다수 참석하였다.
현재 대한장애인e스포츠연맹에서 인정하고 있는 장애인e스포츠 관련 대회는 천안에서 매년 개최되고 있는 '흥타령배 전국 장애인e스포츠대회', 대한장애인체육회가 주관하는 '전국 장애학생체육대회', 고용노동부가 주관하는 '기능경기대회', 마지막으로 대한장애인체육회와 한국콘텐츠진흥원이 주관하는 '전국장애인e스포츠대회'가 있다. 더불어 아직 정기적으로 열리지는 않고 간헐적으로 장애인e스포츠 페스티벌, 지역명+장애인e스포츠대회, 대학총장배+장애인e스포츠 대회도 열리고 있어 점차 장애인e스포츠 대회 개수가 늘어날 것으로 전망되고 있다.
다음 사진은 저자가 2021년부터 장애인e스포츠 경기장을 방문한 사진을 몇 장 첨부하였다<그림 31>.

제 6회 흥타령 전국장애인e스포츠대회 및 제 16회 전국장애학생체육대회

제 17회 전국장애학생체육대회

제 1회 장애인e스포츠 국가대표선발전

2023 전국장애인e스포츠 대회

<그림 31>. 장애인e스포츠 경기 사진

보시는 바와 같이 수년 동안 경기장에 방문하면서 느낀 점은 '열정이 참 대단하구나'라는 생각은 매번 하게 된다.
열정은 선수가 경기를 통해 승리를 하고 싶은 열정이 있고, 지도자가 선수를 지도하는 열정으로 나뉠 수 있다. 일반 스포츠 경기장에 가면 선수들이 워밍업을 하고, 실전처럼 연습을 하고, 그야말로 경기장 주변이 북적북적하다.
하지만 e스포츠 경기장은 사뭇 다르다. 이 부분은 장애인과 비장애인을 나누는 것이 아니라 그냥 e스포츠 경기장은 LED 전광판만 화려하지 주변이 스포츠 경기장처럼 시끄럽지는 않다. 그러한 이유는 실제 스포츠 경기는 신체 능력을 바탕으로 경쟁을 하지만 e스포츠 경기는 컴퓨터, 닌텐도 WII를 사용하여 경기를 진행하기 때문에 몸 푸는 시간에 전략 전술 및 다른 플레이어 경기로 이미지 트레이닝 하고 있다. 그리고 다른 선수 경기를 관전하면서 차이점을 보안하고 앞으로 경기에 대한 운영을 그리고 있는 것이다.
두 번째로 지도자들의 열정이 대단하다. 선수들 워밍업 뿐만 아니라 경기 중에도 지속적인 코칭을 하면서 선수들이 최고의 기량을 펼칠 수 있도록 수 많은 노력을 하고 있다. 오히려 선수들보다 지도자의 열정이 더 뛰어나다고 느낄 때도 있다. 열정적으로 지도하고 난 이후 경기가 승리로 이어질 때 더 짜릿한 것 같다. 다음은 장애인e스포츠 경기장에 대한 전반적인 사진들이다<그림 32>.

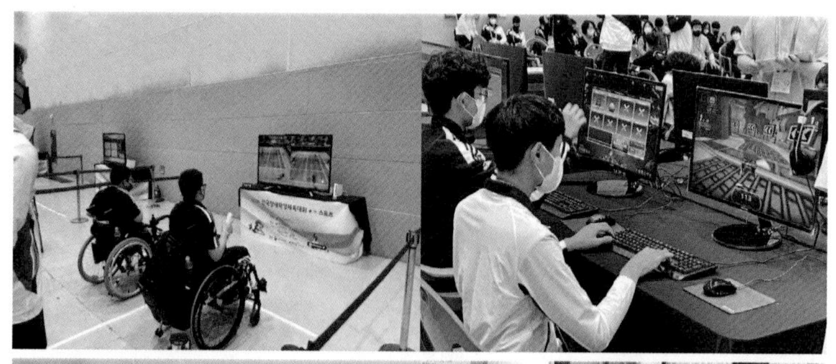

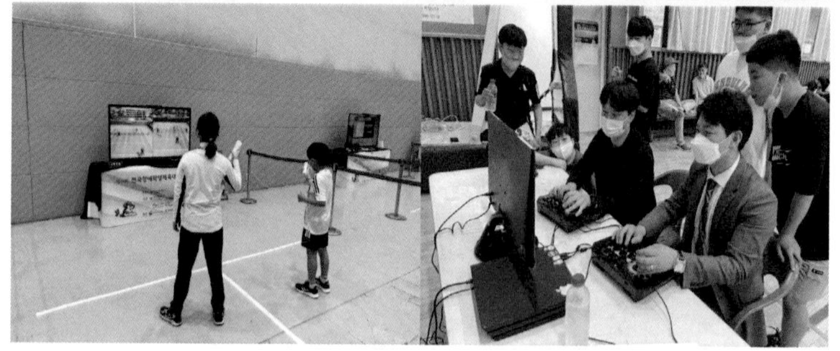

<그림 32>. 장애인e스포츠 경기장 관련 사진

2. 장애인e스포츠 학술 및 저서

저자는 그동안 e스포츠 산업에 대한 강연과 장애인e스포츠에 대한 강의를 상당히 많이 해 오고 있다. 항상 어디를 가서 프로 e스포츠, 엘리트 e스포츠 분야에는 저 말고도 다른 학자들이 많지만, 장애인 e스포츠에는 사람이 많이 없어서 저와 같은 사람이 목소리를 내야 한다고 매번 말하고 있다.

또한, 현재 e스포츠의 본질로 보면 가장 이행을 잘하는 사람들이 장애인이고, 올바른 방향성을 제시하고 있다고 이야기하고 있다.

이렇게 대중들에게 강력하게 이야기하기 위해서는 e스포츠가 가지고 있는 효과성을 바탕으로 주장해야 되며, 객관적인 자료를 통해서 이야기를 해야 한다. 그냥 단순한 개인적 감정과 시선으로 이야기하면 오히려 장애인e스포츠 발전을 저해하는 요인으로 작용할 수 있기 때문이다.

감사의 글에도 내용을 썼지만 사실 저자도 장애인e스포츠에 대해 연구할지 몰랐던 시절이 있다. 박사 진학이후 첫 번째 연구가 스포츠 산업에 관련된 연구이고, 두 번째부터 장애인e스포츠에 대한 연구인데, 서울, 경기도, 제주도를 오가면서 많은 척수 장애인들을 만났다. 사실 연구를 하는 와중에도 e스포츠에 대한 효과성의 확신은 없었는데, 참여하는 장애인들을 보니 e스포츠에 대한 재미에 대한 확신, 새로운 경험에 대한 확신이 들었고, 확신을 통해 스포츠에 대한 관심도, 태도의 변화 더 나아가 자존감 같은 심리적 요인에 영향을 미치는 것을 확인하고 장애인e스포츠에 대한 확신이 들었다.

장애인e스포츠야 말로 새로운 스포츠 플랫폼이고, 재미와 경험을 선사하는 매개체이자, 변화하는 흐름이라는 것을. 이러한 경험과 확신을 바탕으로 학술대회, 논문으로 효과성을 증빙하였고, 현재까지도 활발하게 진행중에 있다. 다음 <그림 33>은 저자가 그동안 학술대회 및 기타 자리에서 발표했던 자료이다.

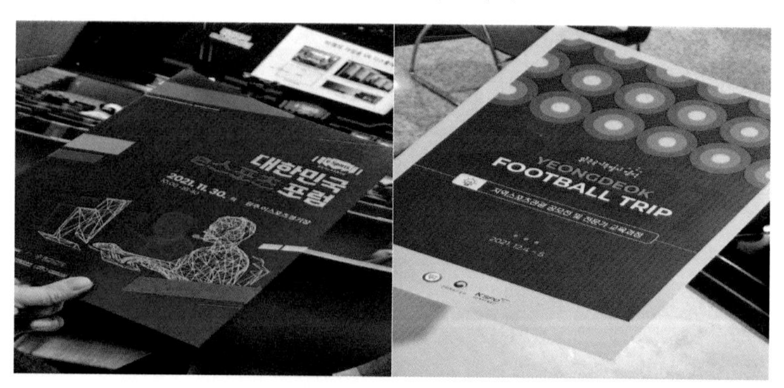

대한민국 e스포츠 포럼 및 영덕 풋볼트립 발표

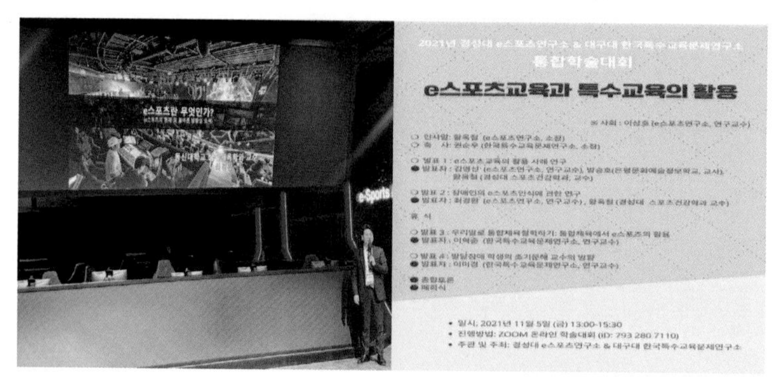

2022 국제e스포츠 포럼 및 통합학술대회 발표

2022 한국e스포츠학회 및 2023 국내 학술대회 발표

<그림 33>. 장애인e스포츠 학술 사진

3. 장애인e스포츠에 관해서

머리말에도 언급하였듯이 아직 e스포츠는 과도기를 지나고 있다. 올바른 길과 지속가능한 길을 가기 위해 노력하고 있다. 현재 몇몇 대중들은 아직도 e스포츠를 스포츠의 시선을 바라보는 것이 아니고 아직도 게임의 시선을 바라보고 있으며, 그냥 단순하게 자신의 특정 종목만을 생각하고 있다. 그리고 e스포츠 프로 종목 중에서도 빈부격차가 심하게 나타나고 있으며, 사라지고 있는 종목도 굉장히 많다.

프로 e스포츠 및 비장애인 e스포츠도 이러한 상황을 겪고 있는데 더 열악한 장애인e스포츠는 어떡하겠는가?

프로종목 관심의 10/1도 못 받는 상황이다. 저자가 강연하면서 장애인e스포츠라고 하면 그때 이해하시는 분들이 대다수이다.

저자가 본 저서를 출판하는 가장 큰 목적은 장애인e스포츠 활성화이다. 국내전문학술지에 게재된 연구결과 및 저서를 통해 장애인스포츠가 더욱 활성화가 되었으면 좋겠고, 장애인e스포츠라는 종목이 있다는 것을 알리고 기관 및 체육관련 단체에서 e스포츠 종목화를 시켜 많은 분들이 참여하기를 기대하기 때문에 출판을 하는 것이다.

이제 시대는 변하고 있다.

시대가 변화함에 따라 인식과 시선도 바뀌게 되고, 환경 역시 바뀌게 된다.

물론, 전통적인 스포츠도 함께 성장하고 동반되어야 한다. 모든 것을 IT, 컴퓨터에만 의존할 수는 없는 것이다. 하지만 스포츠 참여함에 있어서, 스포츠 활동함에 있어서, 보다 더욱 오래 유지하게 함에 있어서 e스포츠가 보조 역할을 할 수 있다는 것을 말하고 싶다.
앞으로 장애인e스포츠 참여인구가 증가되고, 산업시장이 확산되어 일자리 창출과 같은 긍정적 효과를 나타나기 위해서는 올바른 장애인e스포츠의 개념을 알리고, 환경을 구축하고, 정부 및 관련 기관의 참여를 유도해야 할 것이다.
다시 한번 장애인e스포츠 발전에 많은 관심부탁드린다.
긴 글을 읽어주셔서 감사드리고, 또 감사드린다.

- 저자 최경환 올림 -